LE CASSE DE L'ONCLE TOM

DU MÊME AUTEUR

Dans la même collection :

Laissez tomber la fille.
Les souris ont la peau tendre.
Mes hommages à la donzelle.
Du plomb dans les tripes.
Des dragées sans baptême.
Des clientes pour la morgue.
Descendez-le à la prochaine.
Passez-moi la Joconde.
Sérénade pour une souris défunte.
Rue des Macchabées.
Bas les pattes.
Deuil express.
J'ai bien l'honneur de vous buter.
C'est mort et ça ne sait pas.
Messieurs les hommes.
Du mouron à se faire.
Le fil à couper le beurre.
Fais gaffe à tes os.
A tue... et à toi.
Ça tourne au vinaigre.
Les doigts dans le nez.
Au suivant de ces messieurs.
Des gueules d'enterrement.
Les anges se font plumer.
La tombola des voyous.
J'ai peur des mouches.
Le secret de Polichinelle.
Du poulet au menu.
Tu vas trinquer, San-Antonio.
En long, en large et en travers.
La vérité en salade.
Prenez-en de la graine.
On t'enverra du monde.
San-Antonio met le paquet.
Entre la vie et la morgue.
Tout le plaisir est pour moi.
Du sirop pour les guêpes.
Du brut pour les brutes.
J'suis comme ça.
San-Antonio renvoie la balle.
Berceuse pour Bérurier.
Ne mangez pas la consigne.
La fin des haricots.
Y a bon, San-Antonio.
De « A » jusqu'à « Z ».
San-Antonio chez les Mac.
Fleur de nave vinaigrette.
Ménage tes méninges.
Le loup habillé en grand-mère.
San-Antonio chez les « gones ».
San-Antonio polka.
En peignant la girafe.
Le coup du père François.
Le gala des emplumés.
Votez Bérurier.
Bérurier au sérail.
La rate au court-bouillon.
Vas-y Béru !
Tango chinetoque.
Salut, mon pope !
Mange et tais-toi.
Faut être logique.
Y a de l'action !
Béru contre San-Antonio.
L'archipel des Malotrus.
Zéro pour la question.
Bravo, docteur Béru.
Viva Bertaga.
Un éléphant, ça trompe.
Faut-il vous l'envelopper ?
En avant la moujik.
Ma langue au Chah.
Ça mange pas de pain.

N'en jetez plus !
Moi, vous me connaissez ?
Emballage cadeau.
Appelez-moi, chérie.
T'es beau, tu sais !
Ça ne s'invente pas !
J'ai essayé : on peut !
Un os dans la noce.
Les prédictions de Nostrabérus.
Mets ton doigt où j'ai mon doigt.
Si, signore.
Maman, les petits bateaux.
La vie privée de Walter Klozett.
Dis bonjour à la dame.
Certaines l'aiment chauve.
Sucette boulevard.
Remets ton slip, gondolier.
Chérie, passe-moi tes microbes !
Une banane dans l'oreille.
Hue, dada !
Vol au-dessus d'un lit de cocu.
Si ma tante en avait.
Fais-moi des choses.
Viens avec ton cierge.
Mon culte sur la commode.
Tire-m'en deux, c'est pour offrir.
A prendre ou à lécher.
Baise-ball à La Baule.
Meurs pas, on a du monde.
Tarte à la crème story.
On liquide et on s'en va.
Champagne pour tout le monde !
Réglez-lui son compte !
La pute enchantée.
Bouge ton pied que je voie la mer.
L'année de la moule.
Du bois dont on fait les pipes.
Va donc m'attendre chez Plumeau.
Morpions Circus.
Remouille-moi la compresse.
Si maman me voyait !
Des gonzesses comme s'il en pleuvait.
Les deux oreilles et la queue.
Pleins feux sur le tutu.
Laissez pousser les asperges.
Poison d'Avril, ou la vie sexuelle de Lili Pute.
Bacchanale chez la mère Tatzi.
Dégustez, gourmandes !
Plein les moustaches.
Après vous s'il en reste, Monsieur le Président.
Chauds, les lapins !
Alice au pays des merguez
Fais pas dans le porno...
La fête des paires.

Hors série :

L'Histoire de France.
Le standinge.
Béru et ces dames.
Les vacances de Bérurier.
Béru-Béru.
La sexualité.
Les Con.
Les mots en épingle de San-Antonio.
Si « Queue-d'âne » m'était conté.
Les confessions de l'Ange noir.
Y a-t-il un Français dans la salle ?
Les clés du pouvoir sont dans la boîte à gants.
Les aventures galantes de Bérurier.
Faut-il tuer les petits garçons qui ont les mains sur les hanches ?

Œuvres complètes :

Vingt-deux tomes déjà parus.

SAN-ANTONIO

LE CASSE DE L'ONCLE TOM

6, rue Garancière - Paris VIe

Photo de couverture :
PIX-T. GROVES

ISBN 2-265-03477-0

A Suzanne Beaufils, en souvenir de tout, avec ma tendresse.

S.-A.

— Qu'est-ce qui ne va pas ?
— La vie.
— Je connais : je l'ai eue.

(Extrait d'un dialogue entre Frédéric Dard et San-Antonio.)

FIRST PART

LES ENQUETES DE M. BLANC

On ne va pas loin de nos jours
avec un milliard de francs,
surtout si l'on est convoyeur de fonds.

Mes paire et mère m'ont enseigné qu'une seule bonne raison était préférable à plusieurs cacateuses. Certes. Cependant, à propos de l'oncle Tom, force m'est de déclarer qu'il devait son sobriquet à deux raisons plutôt évasives. La première était qu'il se prénommait Thomas, et la seconde qu'il fabriquait des tommes dans sa ferme savoyarde. En mon âme et conscience, je pense qu'il a fallu cette double justification foireuse car une seule n'aurait pas suffi. Comme quoi, tu vois, faut jamais prendre pour argent comptant les déclarations de tes aînés. Croire qu'ils ont toujours raison serait un tort, vu qu'il sont, au moins, aussi cons que toi.

Tout a commencé comme ça. Je me trouvais au Brésil en compagnie d'une somptueuse dame de quarante ans, qui en avouait vingt et en paraissait trente. Le genre de désœuvrée richissime et tapageuse pleine de caprices pour lesquels on peut peu et de désirs pour lesquels on peut tout. J'y menais une vie soyeuse, genre cris et chuchotements, avec beaucoup de lumières, de picole, de yachts blancs et de soirées s'achevant à l'aube. Cela ressemblait à ces films d'avant la dernière guerre où des détectives privés à frime de séducteur s'emplâtrent les filles de milliardaire.

Tu commences tes journées à quatre heures de l'aprème dans une piscaille carrelée d'émeraudes ; tu prends ton petit déjeuner au caviar ; tu troques ton maillot de bain contre un smoking blanc. On t'emmène en Rolls Camargue blanche décapotée à un raout où se bousculent les princes déchus, les vedettes déçues et les putes en vogue. Tu te pintes les naseaux au Chivas spécial en faisant des plaisanteries sur le Sida. Tu danses. On te tripote la bite aimablement, tu roules des galoches à qui t'en demande. Des frangines « parties » (sans laisser d'adresse) te chuchotent leurs fantasmes à n'en plus finir, ce qui te colle des fourmis dans le calbute et tu finis par te retrouver à nombreux, dans des lits profonds comme des tombereaux, pour y perpétrer des batifolances de mauvais aloi. Bref, t'es happé cinq sur cinq, tu déconnes, tu brosses, t'exiges que le violoniste qui te gouzigouzille le *Beau Danube Bleu* se carre son archet dans le prose et il le fait volontiers parce qu'il n'a pas été engagé pour musiquer mais bien pour se faire introduire des objets oblongs — voire contondants — dans le cul.

Tu te sens devenir crapulard, sanieux, abject, dépravé. Tu te rejettes en loucedé, en attendant ton excommunication téléphonique. Ton sens moral branle au manche. Et surtout, tu te fais chier comme quinze rats morts derrière la grosse malle du grenier, celle qui contient un casque à pointe ramené de la 14-18 et l'ombrelle de grand-mère.

J'avais connu Daisy Casanova dans un palace parisien où sa femme de chambre venait de décéder d'une overdose. Comme souvent avec ma pomme, je le confesse Matthieu, l'enquête avait tourné au coït. Le temps d'une troussée au dépourvu, et la môme était devenue hystérique de moi. M'avait embarqué d'autor pour la Sud Amérique, ce qui coïncidait avec mes vacances.

Ça faisait quinze jours que je pratiquais ce forcing en me traitant de sous-ordure, arguant vaguement pour la paix de ma conscience que j'agissais de la sorte par curiosité, manière d'en savoir long comme la ligne du Transsibérien sur les mœurs dissolues des dernières filles à fric. J'entendais bien écrire ça un jour, histoire de changer des bienfaits de sœur Thérésa. Donner un chouïa dans le stupre, tu comprends ? Que toujours l'abbé Pierre, toujours les Restaurants du Cœur de feu Coluche, toujours la manche pour les Abyssins, ça commence à peler le public. Fallait lui varier le menu, au public. Lui donner sa pitance de croustillant. Le cul à grande échelle, j'allais lui apporter ! La partouze mondaine, héroïque : tous derrière, tous derrière et *lui* devant, le pauvre ! Qu'on suce un peu à quoi s'en tenir sur ces follingues, bourrées d'osier et de bites.

Mais, la matière première commençait à me filer la méchante gerbance. J'avais des couchers crapuleux, des éveils lamentables. Ma grosse bistougne criait pouce. Une gueule de bois permanente me descendait dans l'estomac. Et alors, cet express de Félicie m'est arrivé, qui a stoppé le compteur comme par enchantement. Je te le lis :

Mon Grand,

J'espère que tes vacances au Brésil se passent bien et que tu vas revenir tout bronzé. Mais prends garde au soleil : je me suis laissé dire qu'il était assez traître là-bas. Tu devrais mettre quelque chose sur ta tête.

Je viens d'apprendre par les journaux une bien pénible nouvelle. Te souviens-tu de l'oncle Tom ? Ce n'était pas ton oncle à proprement parler puisqu'il a seulement été le compagnon de ma sœur Mathilde pendant les dix dernières années de sa vie et qu'il ne l'a jamais épousée. Depuis le décès de ma chère aînée, on ne se voyait plus avec Thomas car c'était un être peu sociable ; il n'empêche que sa fin cruelle me peine. Figure-toi qu'on l'a retrouvé mort dans son cellier, pendu par les pieds. On lui avait infligé de terribles sévices, prétendent les journaux, sans préciser lesquels. De nos jours, décidément, la violence s'étend partout, jusque dans nos campagnes les plus paisibles. Voir des choses pareilles dans la belle Savoie ! On se croit revenu à l'époque de Mandrin.

Je ne sais pas si les crapules qui ont infligé une aussi triste fin à ce pauvre oncle Tom seront arrêtées. Et, si elles le sont, le châtiment qu'elles encourront sera bien dérisoire par rapport au forfait. Franchement, mon Antoine, quand j'évoque ma jeunesse et que je considère le monde d'aujourd'hui, je réalise que Satan gagne du terrain !

J'ai téléphoné à la mairie de Saint-Joice-en-Valdingue pour savoir quand aura lieu l'enterrement de Thomas, on n'a pas pu me répondre car c'est la Justice qui délivrera le permis d'inhumer. J'ai demandé qu'on me prévienne car je voudrais le conduire à sa dernière demeure en mémoire de ma chère Mathilde.

Epluche les fruits avant de les manger et ne bois que de l'eau minérale car tu es dans un pays plein de virus.

Je t'embrasse de tout mon cœur.

Amuse-toi bien.

Maman.

« Amuse-toi bien ! » Elle en avait de savoureuses, Féloche. Ça m'a fouetté l'âme. J'avais de drôles de jeux en compagnie de Daisy Casanova et de sa clique de traîne-lattes !

Dis, j'allais pas sombrer dans la *dolce vita,* me noyer dans le scotch et les tringlées mondaines, merde ! Le fils de Félicie ! Elle venait de me l'écrire en toutes lettres, m'man : Satan gagnait du terrain et décrochait le maillot jaune ! Les esprits infernaux nous emparaient inexorablement. Le mal devenait épidémique. Peste noire ! Je devais réagir sèchement.

Pour éviter des explicances trop tumultueuses, j'ai préparé ma valoche pendant que Daisy s'onguentait le trésor et sa périphérie dans la salle de bains. L'exercice lui prenait deux plombes au moins. Y a du turf à abattre quand t'as quarante balais et que tu cherches à t'en sucrer vingt ! Faut pas chialer sur le Dermaderm, les algues marines en concentré, les massages au foutre de tigre et les enflaouteurs électriques.

Tout en rangeant mon smok de travail et mes slips de cérémonie dans ma Samsonite, j'évoquais l'oncle Tom. Ne l'avais vu que deux ou trois fois, ce vieux crabinche ! Me restait le souvenir d'une espèce de casse-noisette en buis « ouvragé ». Une gueule de rapace déplumé sous une casquette à la visière luisante de crasse. Le nez crochu, le menton tombant. Des chicots plein la gueule comme des pépins noirs dans une tranche de pastèque. Il avait le regard froid, l'oncle Tom. Sans couleur réelle. Ça vaguait dans des gris délavés, mais ça exprimait l'ingentillesse, crois-moi.

J'étais petit garçon alors et mon papa vivait encore. On allait vacancer en Savoie et on passait « dire bonjour » à tante Mathilde avant de remonter sur Pantruche, la dernière semaine. On déboulait sans prévenir, comme ça se fait en province. La tante rayonnait de voir sa gentille frangine. Mais le père Thomas, oh pardon ! Chaque fois son humeur coulait une bielle en nous apercevant. Grigou jusqu'à l'os, il était malpartant pour l'omelette au lard, la salade du jardin aux croûtons et les matefins qui sont des crèpes, là-bas. Plus le litron de piquette qu'il devait aller tirer au cellier !

On avait beau s'amener avec un pacsif de cochonnailles et un gâteau de Saint-Genix large comme tes fesses, il encaissait mal les festins familiaux, même frugaux, le vieux birbe ! Une fois pour toutes, il avait fait souder le fermoir de son morlingue au chalumeau oxhydrique, l'apôtre ! Pour sa pomme, visite équivalait à dépense. Et de débourser trois fèves, ça le plongeait dans des amertumes, des angoisses métaphysiques. On faisait semblant de pas s'en rendre compte, tous. On jouait les boute-en-train. Papa surtout ! Mathilde arrivait mal à réfréner son bonheur. L'idée qu'elle avait eue, la tante, de se maquer avec un pareil babouin ! On n'a jamais compris, à la maison. Une femme si délicate, qui avait fait institutrice et qui confectionnait de si ravissants abat-jour de parchemin, entièrement décorés main, je vous prie d'agréer ! Bon, elle tombe veuve, ce qui est de fatalité dans la famille, du côté de m'man. Quelques années passent. La voici à la retraite. Et puis un jour, poum ! Thomas Dugadin se met à la rambiner et se l'emporte dans sa ferme branlante. Ce qu'elle a pu lui trouver de positif à ce cynocéphale radin ? Mystère ! Peut-être qu'il la tirait comme un chef après tout ? Au chibre, il devait cartonner de première, l'infâme, je subodore. T'as de ces kroums abjects qui se montrent champions de pucier. Mais est-ce qu'une troussée goût bulgare vaut qu'on consacre sa fin de vie à un aussi sordide personnage ?

Elle a tenu dix piges, tantine, avant que le vilain crabe l'emporte. L'oncle Tom a poursuivi sa trajectoire. Dis, au moment, où on l'a scrafé, il devait traîner un carat phénoménal, le vioque, car quand j'étais moufflet, je l'estimais presque centenaire. Bon, l'enfance apprécie mal l'âge des adultes, néanmoins mon faux tonton avait le record de Mathusalem en point de mire, c'est certain. Quatre-vingt-cinq ? Quatre-vingt-dix ou mèche ? C'est moche de finir ainsi, torturé à mort. Ses agresseurs sont-ils parvenus à lui faire dire l'endroit où il planquait son crapaud ? J'en doute. Le blé, c'était toute sa vie, à l'oncle Tom. Il y tenait davantage qu'à l'existence.

Ma valise prête, moi saboulé pour le voyage, je me penche sur une feuille de papier à lettres gravée au nom du palace. S'agit de prendre congé, sans trémolo ni cynisme. Du tact, de la sobriété, de l'élégance. J'écris :

Je vais à Paris acheter des cigarettes. Merci pour ces fabuleuses vacances. Je pars le cœur plein et les couilles vides. Kiss ! kiss ! kiss !

Ton flic d'amour

Beau, non ? Sobre. Son style à elle surtout sur la fin : le *kiss* trois fois écrit. Elle va gueuler, trépigner, mais elle appréciera.

Allez, *bye !*

Je m'aperçois que je ne t'ai pratiquement pas parlé de Daisy. Aucune importance. Une pute, tu veux en dire quoi ? Que sa chatte a un goût de framboise ? O.K. la chatte de Daisy avait un goût de framboise. T'es content ?

Ça ne m'intéresse pas tant que ça
d'être assis un jour
à la droite de Dieu ;
j'aimerais mieux être assis
en face *de lui.*

Ce qu'il y a de chouette, lorsque tu meurs assassiné, c'est qu'il vient beaucoup de monde à ton enterrement. Cela dit, la chose ne revêt qu'une importance secondaire, car : soit il n'existe pas de survie et donc tu ne peux pas le voir, soit il y en a une et alors t'en as plus rien à cirer des manifestations d'ici-bas !

Moi, tous ces cons, je t'en fais cadeau. Plus tu trouves de gens rassemblés, plus tu batifoles dans l'hypocrisie.

La mort de l'oncle Tom serait passée inaperçue si elle avait été naturelle. Qu'on trouve le vieux pecquenaud raide comme barre dans sa cuisine, ça n'amenait pas un greffier. Privé de toute famille, il allait avoir droit à un enterrement vite-fait-bien-fait-sur-le-gaz, le Thomas ! En deux coups les gros : petite partie de goupillette en l'église de Saint-Joice-en-Valdingue, et puis trot attelé jusqu'au cimetière, où on l'aurait craché dans le caveau des Dugadin, bourré de vieux nœuds cannés octogénaires au moins, à l'exception du fils buté à la Quatorze et dont un médaillon serti dans la pierre tombale perpétue l'allure martiale. Graine de héros dont la mort est la germination logique. Ces salauds d'uhlans à la corne d'un bois. *Achtung!* c'est pas le fils Dugadin qu'on aperçoit là-bas ? Dugadin sauveur de Saint-Joice-en-Valdingue, Savoie ? Non mais visez un peu comme il requinque, l'enfoiré, dans son bel uniforme garance ! *Feuer* à volonté ! Pan, pan !

Oui, on aurait dû le basculer dans la terre glaise, l'oncle Tom, sans préambuler de trop, devant quatre pelés et un tondu de sa classe tout heureux de pouvoir planter un conscrit de mieux ! Ouf ! Les vieux, leur dernier bonheur, c'est d'enterrer les copains. Ils ressentent une âpre joie à leur survivre. Comme si la fin de leurs contemporains leur assurait un rab d'oxygène. Comme s'ils étaient les héritiers des quelques mois ou années que le défunt aurait pu vivre en plus.

Mais alors, mort assassiné, après avoir subi moult tortures, le voilà qui fait recette, le concubin de tatan Mathilde. Ça radine de tous les villages avoisinants, et même de Chambéry. Y a les anciens combattants, une délégation de la préfecture, le maire, la fanfare de Morzyleuil, les gendarmes, des messieurs étranges venus d'ailleurs, des journalistes du *Dauphiné Libéré,* les enfants des écoles pour chanter *Les Allobroges* au cimetière. A l'église, deux curés, l'harmonium chauffé à blanc, la chorale de Foumledan, des oriflammes d'associations reconnues d'utilité publique : « Les Amis de la Fondue », « La Boule Savoyarde », « Les Amateurs de la Roussette » (1), « La Confrérie des diots » (2), etc.

Un bouseux du cru, vieux comme un Stradivarius, pleurniche dans l'esgourde de sa fille que c'est beau

(1) Délicieux vin blanc de Savoie.
(2) Délicieuses saucisses de porc cuites dans une délicieuse sauce au vin blanc ci-dessus.

comme des funérailles nationales. Et comme il a raison !

D'ailleurs en convient, la fumelle. Je parcours l'assistance des yeux à la recherche de m'man. Je sens bien qu'elle est présente, ma Félicie. Je capte ses bonnes chères ondes. Seulement elle doit se faire toute mignarde dans son coin, car elle ne se met jamais en évidence, ma vieille. Je parie qu'elle se sera plancardée derrière un pilier, ou dans le renfoncement du confessionnal. Alors je me détronche à m'en élonguer les cervicales.

— Tu cherches l'assassin ? me chuchote une voix.

Je découvre à mon côté le commissaire Bavochard de la Sûreté de Chambéry. On s'est connu jadis, je ne me rappelle plus dans quelles circonstances extra-policières. Un congrès, peut-être. Le roi du calembour sous-cutané, de l'à-peu-près lamentable. Je me demande si le « Bonaparte manchot », ça ne serait pas de lui, de même que le fameux « comment vas-tu Yaudepoêle ». On ne prête pas qu'aux riches, mais également aux pauvres. Je lui presse les cinq francfort poilues qu'il me tend devant les larges miches d'une charcutière en prières.

— Content de te voir, assurè-je, sincère.

— Moi s'aussi-son-de-Lyon ! rétorque l'incorrigible.

— Tu t'occupes de l'enquête ?

— Tu crois que c'est pour écouter chanter l'*Ave Maria* de Gounod par dix connasses imbaisées que je suis ici ?

Il a toujours sa bonne bouille rubiconde, avec des paupières gonflées comme des ventres de crapauds. Son péché pas tellement mignon, Bavochard, c'est le Pastis 51. Il s'en cogne une trentaine par jour, par petites doses qu'on appelle ici « mominettes ». Il porte un costar marron à carreaux qui le grossit, une chemise à col ouvert, dans les tons jaune-pisse.

Signe distinctif : il se trimbale toujours une douzaine de stylos dans la poche supérieure de son veston, laquelle est soulignée d'une traînée bleuâtre. Ce que je raffole, chez lui, c'est sa coupe de cheveux. Comme il a le tif raréfié, il ramène tout en avant, Bavochard, style Néron ou César, je sais plus bien. A première vue (éloignée) tu croirais qu'il a le chef ceint de lauriers. Sa trogne rubescente là-dessous, ça mérite le détour ; d'autant qu'il a de tout petits yeux de goret sur le point d'escalader sa truie préférée.

— On devrait aller se taper une momi, chuchote mon estimable confrère, je compte pas trop que le meurtrier fasse un numéro à l'enterrement de sa victime.

— D'acc, mais auparavant je voudrais repérer ma vieille. J'arrive du Brésil et elle était déjà partie pour les funérailles.

— Vous étiez parents avec Thomas Dugadin ?

— Il s'était mis à la colle avec la sœur aînée de ma mère, jadis.

— Ah ! alors c'est pour ça, murmure le commissaire comme se parlant à soi-même.

— C'est pour ça quoi ?

— Je te raconterai quand on sera à l'air libre ; je vais t'attendre au bistrot de la mairie, moi les services religieux me foutent les boules, je suis pas agnostique, mais claustrophobe.

Ce serait plutôt qu'il est en manque, mon pote ! Le Pastis 51, il va le consommer en intraveineuse un de ces prochains jours.

Juste à cet instant, l'enfant de chœur drelindrelingue et l'assistance s'agenouille. Je reste debout pour mieux balayer le secteur. J'avais vu juste : m'man est derrière le pilier du fond, sous la statue de saint Joseph. Je la rejoins le plus délicatement possible. M'agenouille à son côté en bousculant un peu Mlle Valentine Laruelle, soixante-quatre ans, sans enfants, pied-bot, tache de vin pleine poire, regard bigleux, bec-de-lièvre : un cas !

Abîmée dans ses ferveurs, elle ne s'aperçoit pas de ma présence, Féloche. Le regard clos, elle en écrit un saladier sur le cahier des implorations. Je te parie qu'il doit être question de moi. Elle Lui supplie de fond en comble de me protéger de tous maux, le gentil Seigneur. Pas qu'Il ait d'inadvertance avec ma pomme, jamais ! Toujours Sa protection pleins feux sur le bel Antonio. Ça, elle Lui demande avec des mots que je devine superbes d'humilité et d'amour. Oh ! oui, Seigneur, écoute-la ; écoute-la bien et fais pour elle ce qu'elle Te réclame pour moi ! Amen.

Au bout d'un moment, je murmure imperceptiblement à son oreille :

— T'es belle quand tu pries, tu sais !

Elle a un sursaut, rouvre les yeux, me capte en tout grand et balbutie d'une voix fabuleusement soulagée :

— Antoine...

Un alexandrin, presque ! La manière qu'elle balance mon blaze, m'man.

— Je suis rentré à temps, tu vois.

Un baiser sur les fins cheveux qui pendent sur son oreille.

— On se retrouvera à la sortie du cimetière, mon collègue de Chambéry m'attend.

Je m'esbigne. Les chants reprennent à tout berzingue. Gloire ! Gloire à ce con d'oncle Tom qui s'est laissé torturer et pendre par les pieds comme une vieille chauve-souris qu'il était.

Bavochard a déjà liquidé deux momis (mominettes).

— J'ai éclusé la tienne en t'attendant, explique-t-il après avoir enregistré mon coup de périscope aux deux godets vides. Faut les boire très fraîches, sinon ça écœure. Deux autres, patron !

Avec sa face rouge et sa chemise jaune, il ressemble au drapeau espagnol.

Bon flic, si j'en crois ses états de service et sa répute. Un brin pantoufle, ça, sûrement. Il aime son beau pays savoyard, ses potes, les mâchons, la pêche sur le lac d'Aiguebelette et sa maison qu'avec son humour consommé il a baptisée « Le poteau rose ».

Le taulier, un petit brun transalpiné de la dernière génération, renouvelle les momis. Il paraît distrait, cet homme, mais en réalité, il visionne la télé qui retransmet les prouesses de Boum-Boum Becker à Ouimebledonne.

— Alors ? me fait Bavochard.

— Alors ? je lui rétroque (je préfère écrire « rétroque », c'est plus marrant).

Nous voilà partis dans le *Dialogue des Carmélites !* On ne sait plus par quel bout s'attraper.

— J'ai cru comprendre que tu avais quelque chose à me dire, Gaston ?

— Drôle d'affaire, commence mon collègue en s'entiflant sa dosette de perniflard 51 recta, comme s'il s'agissait d'un médicament à expédier d'urgence.

Il poursuit après avoir clapé de la menteuse :

— Nos crimes paysans, ordinairement, sont plus simples. Le garçon de ferme qui viole une gamine, les voisins en vendetta qui se balancent quelques volées de 12, la fermière putassière qui fout de l'arsenic dans la soupe de son bonhomme... Je pourrais te dresser une liste exhaustive des meurtres campagnards. Là, c'est à la fois sadique et mystérieux.

— Vraiment ?

— Bouge pas !

Il va pêcher sous la table un vieil attaché-case en carton véritable dont les fermoirs quincailleux ne ferment plus et qu'il maintient clos à l'aide d'une vieille ceinture à lui. Mon pote Gaston dénoue la lanière de cuir et déponne sa boîte de Pandore. Il sort une enveloppe format 18 × 24 en papier kraft et me la tend.

— Les photos de l'identité judiciaire...

Ayant soulevé la languette, j'extrais quatre clichés pas piqués des hannetons. Le premier représente un plan général de l'oncle Tom suspendu par les pieds. Sa tête n'est qu'à dix centimètres du sol et ses bras traînant sur le plancher. Peut-être a-t-il essayé de prendre appui pendant un bout de temps. Mais le sang descendant à son cerveau lui a fait perdre conscience. D'autant qu'il était sérieusement blessé. Il est sanglant, le pauvre vieux, avec des lambeaux effroyables qui pendent de son corps. Le deuxième cliché est un gros plan de son visage. Quelle abomination ! On lui a détaché les joues au rasoir des ailes du nez jusqu'aux oreilles, si bien que la chair s'est rabattue et qu'on le voit tête de mort avant la lettre, tonton. On a découpé son pantalon dans la région du sexe et ouvert la peau de son ventre depuis le pubis jusqu'au nombril. Peu à peu, sous le poids, ses entrailles sont sorties par la brèche. En outre, on lui a fendu la bite en deux comme une banane. Les deux autres photos sont des plans rapprochés de ces mutilations.

— Sacré travail, hein ? murmure Bavochard en enjoignant au taulier de ramener deux autres mominettes, vu qu'il vient de boire la mienne pour la seconde fois, me jugeant trop peu empressé à le faire.

— Il y a de la haine là-dedans, fais-je. Ou bien le tortionnaire du vieux est un fou, ou alors c'est un gazier qui lui en voulait abominablement. Et les lieux, dans quel état se trouvaient-ils ?

— A l'unisson. Un vrai carnage. Tout était brisé,

éventré, saccagé. Je ne parle pas de l'habitation elle-même, mais également des dépendances. On avait tué sa vache et ses chèvres, creusé le sol de l'écurie par endroits.

— Ce qui prouverait que le père Dugadin n'a pas révélé la cache de son magot, si toutefois il en avait un. Sinon on n'aurait pas fait des fouilles en différents endroits.

— Très juste, Auguste. Mais tu sais que nous l'avions pensé avant toi, lamatelas ?

— C'est indiscret de te demander où vous en êtes de l'enquête ?

— D'autant moins indiscret qu'elle est au point zéro, mon cher ! Tu sais que la ferme du vieux est éloignée du village et également du chemin vicinal qui y mène. Trois cents mètres d'ornières, un boqueteau en écran. Les conditions idéales pour tourner un remake des *Chauffeurs de la Drôme*. On a relevé des traces de pneus, et on pense qu'il s'agit d'une Renault 25, tu sais cette bagnole qui se permet de t'engueuler si tu as mal claqué la portière. Aucune empreinte. Le rasoir ou le scalpel ayant servi au charcutage de ton brave oncle a été emporté par le ou les agresseurs. Même la date du crime est approximative. Selon l'autopsie, celui-ci remonterait à jeudi ou vendredi de la semaine dernière.

— Bon Dieu, fais-je en tapotant la photo qui montre l'oncle Tom suspendu, il a saigné comme cent cochons, le pauvre bonhomme ! Vise cette flaque de sang sous lui ! Son meurtrier a pu évoluer sans mettre un bout de pied dedans ?

— Il faut croire.

— Et ta R 25, personne ne l'a retapissée dans ce bled ?

— On se couche tôt dans les petits patelins, soupire Bavochard. Mais bordel, qu'est-ce que tu attends pour boire ta momi ! Tu préfères une bière ?

— Celle de l'église me suffit.

Comme pour souligner ma saillie, les cloches se mettent à toutevolcr. C'est la fin du service religieux. A présent, on va tirer Thomas Dugadin jusqu'au trou final. Y aura probablement une allocution quelconque d'un président quelconque de société quelconque. Voire du maire ! C'est ça, du maire !

— Maintenant, faut que je te montre autre chose, Sana. Je sais bien que ça n'est pas très légal, mais entre poulets on peut se permettre, hein ?

Seconde enveloppe. Il sort la photographie d'un document qui fut froissé, puis partiellement brûlé. Des spécialistes ont essayé de récupérer ce qui subsistait et ont réussi des prouesses techniques pour restituer le texte.

— Qué zaco, Gaston ?

— Le meurtrier a brûlé des choses dans la cheminée, entre autres le testament olographe du vieux. Miraculeusement, la plus grosse partie de celui-ci a été épargnée car il s'est coincé sous un landier.

Je lis :

Je... signé, Tho.... Duagadin, sain de corp et d'........., déclare léguer la tot..... de mes biens à ma commune d'orig...

Toutefois, si je devais décéder de mort violente, je demande au com..... San-Anto....... de Paris, que j'ai connu t.... enf... et qui fait fort dans la Police d'après ce que je sais, de retr..... mon ass..... S'il y parviendrait, c'est à lui que..... reviend.... mon hérit.....

Fait à St. J............ .....
le 12 jan..... 975.

(Signature parfaitement lisible)

Je dépose la photo sur le guéridon et bois enfin ma mominette avant que Bavochard ne me la siffle comme s'il s'agissait du *Beau Danube Bleu.*

— Je suis sur le cul, fais-je.

— Belle pièce, non ? ricane Bavochard. Ce qui prouve deux choses : depuis plus de dix ans, le vieux s'attendait à être liquidé. Et sa méconnaissance des lois était telle qu'il croyait possible à une victime de désigner l'enquêteur chargé de courir après son meurtrier. Cocasse (noisette), non ?

Moi, ça me produit comme une espèce de petite musique de mendiant dans un recoin de l'âme. L'oncle Tom se savait menacé et c'est sur moi qu'il comptait pour le venger en cas de malheur. T'as déjà lu ça ailleurs que dans mes chefs-d'œuvre, toi ? Le croquant se rappelait un petit garçon au minois éveillé (merci pour lui) qui venait sans crier gare avec ses parents, certains dimanches d'août. Il avait suivi ma carrière, tonton Tom. Et, fatalement, à cause de la crainte qui le taraudait, j'avais pris une certaine place dans sa vie.

Je me lève :

— Où vas-tu, Célèbre ? s'inquiète mon confrère.

— Lui filer un petit coup de goupillon pendant qu'il en est encore temps. Mais rassure-toi, avant ta vingt-cinquième momi je serai de retour.

Les femmes sont des chambres d'hôtel

Personne à qui serrer la louche. Il est clamsé seulabre, le vieux gredin ! Après le recueillement devant sa tombe au fond de laquelle luisent les bimbeloteries du cercueil, on a un moment de flottement. On désempare un peu. Il fait beau, des abeilles savoyardes bourdonnent autour des fleurs fraîches. Les notables palabrent doctement, salués à tout va par le capitaine de gendarmerie qui ne voudrait pas, pour une bricole, rater sa prochaine promo. Les croque-morts rengainent leur fourbi. M. le curé et ses péones se barrent à travers les allées. C'est la débandade. Qu'ouf ! il va faire bon continuer, rattraper sa gueuse de vie en marche après ce léger tourbillon dans le courant de la mort.

Chemin revenant, je raconte à m'man l'histoire du testament. Elle en est retournée, la chérie. Des larmes lui viennent. Ce qu'elle éprouve ressemble à la réaction que j'ai eue en présence de mon confrère. Un truc confus, fait de nostalgie. Toujours cette putain d'elle : la nostalge. Avec ses pattounes à ventouses qui se posent sur ton cœur et le chatouillent. La bébête qui monte, qui monte et qui te démonte ! Tu tentes de la chasser, alors elle se tient coite. Tu l'estimes partie, tu fanfaronnes et poum ! la voilà qui remet ça !

— Tu vas t'occuper de cette affaire, mon grand ? demande-t-elle.

— Imposssible, m'man ; tout à fait impossible. D'abord ce crime relève uniquement de la justice et de la police savoyardes ; d'autre part, maintenant que mes collègues connaissent cette clause ahurissante du testament, ils croiraient que je fais ça par esprit de lucre.

— Hello, le Célèbre ! me hèle Bavochard.

Surpris, je me retourne et je le vois sortir du cimetière, son attaché-case rafistolé à la main, la trogne vermillon.

— Tiens, tu ne m'as pas attendu au troquet, noté-je.

— Je tenais à accompagner ton testateur jusqu'à sa dernière demeure.

Je le présente à Félicie, puis réciproquement. Ils se gratulent comme il se doit, dans le style gourmé.

— Ces funérailles t'ont appris quelque chose, Gaston ?

— Oui : qu'on est mieux debout que couché, rigole mon pote. Tu aimerais visiter les lieux du crime ?

— Pourquoi les visiterais-je ?

— Ben, je suppose que tu vas essayer de décrocher la timbale, non ? Opérer ta petite enquête personnelle. La ferme avec de beaux hectares cultivables, c'est motivant.

Le sarcasme sous-jacent m'irrite. Ils sont tous pareils les méchants, les gentils, les cons, les géniaux : le fric ! Jeune ou vieux, homme ou femme, ils n'ont de véritable considération que pour la fraîche. Du moment qu'il y a cet héritage en point de mire, ils sont tous convaincus que je vais me jeter sur l'aubaine, ruer des quatre fers, accomplir des prouesses (selon mon habitude) et les coiffer au poteau pour, aussitôt après mon triomphe, carillonner à la grille du notaire afin de lui réclamer mon dû.

— L'agriculture, ça n'entre pas dans mes perspectives d'avenir, Gaston. Aussi ne lèverai-je pas le petit doigt pour essayer de cibler l'assassin de tonton. Fais ton boulot, mon grand, et tâche de ne pas trop forcer sur la mominette : les petits godets font les grands alcoolos.

Je biche le bras de m'man et l'oblige à presser le pas. Affolé, Bavochard recolle au peloton.

— Attends ! Il me semble que je t'ai vexé ?

— Il me semble aussi.

— Je disais ça en plaisantant.

— Je préfère tes calembours, ils sont cons mais pas méchants !

— Antoine ! On ne va pas se fâcher pour ça !

Je ralentis et le mate droit dans les carreaux.

— Si, dis-je. Faut jamais lésiner quand l'honneur est en jeu.

Ayant donc mis les pendules à l'heure, comme on dit puis de nos jours pour un oui et pour un non, je nous rembarque *nach* Paris, m'man et moi, dans ma belle tuture blanche qui, avec ma montre Pasha constitue le principal de mon capital. Comme ce début d'été incite aux excès, j'opère un détour par Vézelay où l'Histoire et la bouffe sortent de terre. C'est à une heure avancée de la nuit que nous atteignons notre pavillon clodoaldien (de Saint-Cloud).

Maman, toujours inquiète, fonce à la chambre de Toinet, histoire de s'assurer qu'il est là, en bonne santé et dûment endormi. Rassurée, elle vient me rejoindre.

— Maria a été à la hauteur ! assure-t-elle.

— Parce qu'elle lui a fait la bouffe et l'a empêché de foutre le feu à la maison ? ricané-je.

Je suis justement en train de me colleter avec un message de notre Portugaise, laquelle maîtrise mal le français. Il y est dit très exactement ceci : *Lo négro Blanco la pelé dos foua per ourgenté.*

Ce qui, traduit de son charabia signifierait que mon ami noir, M. Blanc, m'a demandé à deux reprises pour un motif urgent.

Mais, avant que d'aller plus loin, force m'est de te poser, ami lecteur, une insidieuse question. As-tu lu mon précédent ouvrage, œuvre d'une grande inspiration et animée d'un souffle puissant, que j'ai judicieusement intitulée *La fête des paires ?* Si c'est le cas, saute ce paragraphe qui te serait superflu. Sinon, laisse-moi te tirer les oreilles pour ta négligence et t'apprendre que, dans ledit bouquin, je fais incidemment la rencontre d'un brave balayeur sénégalais nommé Jérémie Blanc, père de famille nombreuse et époux comblé d'une dame qui s'appelle (à gâteau) Ramadé. Ledit M. Blanc, garçon athlétique, cocasse et intelligent, est devenu mon copain. Frappé par ses dispositions d'enquêteur, je l'ai fait entrer dans la police où il suit pour l'heure des cours d'instruction générale : exercices de tir, lecture des empreintes, rédaction de rapports, etc. Ses moniteurs ne tarissent pas d'horloges sur lui. Tous sont unanimes à penser que M. Blanc constitue une recrue, non pas de fatigue, mais de choix. Nota : sa venue parmi nous agace Bérurier que Jérémie abreuve des pires sarcasmes et qui se montre ulcéré par l'intérêt que je porte à ce nouveau venu.

Et à présent, ces choses essentielles étant dûment consignées en ces pages, poursuivons un récit qui ne laissera pas de te surprendre et t'entraînera très vite dans de folles péripéties, tu vas en avoir la preuve et le cœur net avant que le coq du clocher de Saint-Joice-en-Valdingue n'eût chanté trois fois.

Mon premier réflexe est de consulter ma tocante. Elle affirme trois heures dix du mat' ! Comme je n'ai aucune raison de mettre en doute la parole d'une montre de ce prix-là, je décide de renvoyer à deux mains (et à demain) mon coup de turlu au noirpiot.

Bisou miauleur à Féloche et je *go to bed.*

Curieusement, nous n'avons pas parlé de l'oncle Tom pendant le retour, m'man et moi. Comme si, d'un commun accord, on trouvait le sujet gênant après mon algarade avec le commissaire Bavochard. Cela ressemble à de la pudeur. Dans le fond, il s'est montré gênant, tonton, en me cloquant son héritage « à condition que je démasque son meurtrier ». Le premier moment d'émotion passé, je me rends compte que tout ça exprime bien sa mentalité de grigou qui souffrait mille morts à nous régaler d'une omelette au lard et d'une salade. « Démasque mon assassin et t'auras mon magot ! » Donnant, donnant, en somme.

Moi, ce qui me turlupine, ou turluqueute, ou turluzobe, ou turlupafe, ou turluchibre (choisis et biffe ceux que tu refuses), c'est cette prévision funeste du vieux Dugadin. Il se gaffait qu'on allait déménager son extrait de naissance un jour. Donc, il n'avait pas la conscience peinarde. Ou alors il savait des choses fatales pour sa santé. Et pourtant, le danger ne s'est pas pressé puisqu'on l'a zingué treize ans après qu'il ait prévu la chose sur son testament.

Que détenait-il de si important, l'oncle Tom, dans sa case de Saint-Joice-en-Valdingue ? Un objet, un document ou un secret ? Du pognon, des diams, des plans ? Ça paraît improbable de la part d'un vieux bouseux embastillé sur son petit territoire hérité de ses ancêtres, entre sa vache et sa chèvre, cultivant son lopin, confectionnant des tommes de Savoie (non pasteurisées) de façon artisanale. Il avait travaillé à la fruitière du pays, jadis, et y avait acquis un tour de main spécial pour confectionner ce bon vieux frometon moelleux, dont la croûte est pareille à de la peau d'éléphant. Il n'avait jamais quitté son bled, Thomas. Pour la guerre, peut-être. Sinon, c'était la foire de Chambéry, sa principale virouze annuelle. Et aussi d'aller regarder déferler le Tour de France quand il passait pas trop loin de chez lui. Comme il n'avait pas de bagnole, il utilisait son vieux Solex pétaradant qui fumait et crachait l'huile.

Moi, il me fait rudement chier, le bonhomme avec son testament à la con qui m'empêche d'agir. S'il s'était abstenu d'y inclure cette stupide clause, comment que j'allais me lancer sur le chantier de la guerre, parallèlement à mes collègues chambéryens. Hélas, maintenant il m'a coupé les ailes. Il croyait donc que tout s'achète ? Que tout le monde est à vendre ? Vieux pingre, va ! Cancrelat ! Il a bonne mine avec ses tripes à l'air, ses joues découpées et sa bite fendue en deux comme une banane épluchée. Ses (ou son) tortionnaire(s) ont-ils (ou a-t-il) trouvé ce qu'il(s) étai(en)t venu(s) chercher ? M'étonnerait que Bavochard et sa fine équipe trouent la nuit de ce mystère, comme l'a écrit si noblement M. l'abbé Soury dans le texte de présentation de sa célèbre Jouvence qui l'a fait élire à l'Académie française. Pas que je mette en doute la compétence de mes collègues savoyards, note bien, mais je sens que, dans cette affaire, il faut de l'inspiration, de la divination. Moi, j'ai connu le vieux. Certes, j'étais un momaque timide à l'époque, pourtant je savais déjà regarder les gens d'une certaine manière. J'ai eu tort de refuser la visite des lieux, poussé que j'étais par un sentiment de fierté. Le côté : « ne me prenez pas pour ce que vous croyez que je peux être ! » Drapé dans sa cape, l'Antonio. Zorro est tarifé ! Altier ! L'Aiglon ! « On baptise à Paris mieux qu'on n'enterre à Vienne ! » Tout de suite « A moi, comte, deux maux ! » On a maille à partir avec soi-même, les impulsifs. On se place devant des situations à chier.

Allez, allez, rumine pas, Tonio ! Au dodo ! Le meurtre à l'oncle Tom, c'est pas tes oignes. Prie pour le repos de son âme ingrate. Il voit peut-être la lumière, en ce moment, le tringleur à tatan Mathilde, la bonté de l'Eternel est si grande...

Je me zone rapidos. La grosse dorme profonde et immédiate. Pierre lâchée dans un puits et qui ricoche infiniment contre les parois avant de plouffer. Elle toque, la pierre. Ting, tong, tang, tong, ting... Mais au lieu que le bruit s'amenuise dans les profondeurs, il va croissant. Sursaut du valeureux commissaire : on cigogne ma lourde.

— Qu'est-ce que c'est ? haleté-je, ahuri comme tout dormeur du premier sommeil réveillé en sursaut.

— Cé Maria, Moussiou !

Je me lève pour lui ouvrir. Elle se tient devant moi, assez pas mal dans une chemise de nuit cousue de fil blanc, les cheveux en vrac sur les épaules, les pieds nus, les mollets plein de poils. Je suis frappé par sa jeunesse. Elle est presque sexy, la môme. Sa chemise de nuit n'est boutonnée que du col, le reste bâille, découvrant une exquise poitrine bien plantée, pigeonnante, saine et drue, qui fait honneur au Portugal.

— C'esté lou téléphono. La Madame n'a pas entendou sonner.

Effectivement, c'est rarissime de la part de ma Félicie ; il faut croire que la fatigue, la bonne chère et l'heure tardive l'ont anéantie.

Maria ne s'étonne pas que moi non plus je n'ai pas perçu la sonnerie. Elle m'explique :

— C'est encore le négro, Moussiou.

Dis, il est casse-balloches, M. Blanc ! Y a le feu à la Seine ou quoi ?

Je descends en vitesse l'escadrin, car le poste de ma chambre est naze, à la suite de bricolages douteux opérés par Toinet qui adore autopsier les choses et j'espère bien qu'il en restera là.

La voix pimpante de mon sombre aminche est à dispose, prête aux vocalises.

— Enfin ! il s'exclame. Dis voir, mon vieux, t'es plus dur à obtenir que le président de la République !

Mais je ne suis pas sur sa longueur d'onde. Moi, les gazouillis, quand je viens de m'arracher des bras de Morphée, je t'en fais cadeau.

— Que veux-tu, Noirpiot ?

— Je crois que je suis sur un coup fumant, mon vieux.

— Il fume au point de ne pouvoir attendre demain ?

— Ça, j'en sais trop rien, mais ça se pourrait !

— Bon, soupiré-je, je t'écoute.

— Ce serait trop long, tu ne peux pas venir chez moi ?

Alors là, il me la baille saumâtre.

— Ecoute-moi, Fleur des Tropiques, je me suis cogné dix-sept heures d'avion, puis douze cents kilomètres de bagnole, plus un enterrement et un gueuleton dans un trois étoiles, j'ai droit à quelques instants de repos, non ?

— Alors c'est moi qui viens, décide péremptoirement Jérémie.

— En taxi ?

— Taxi mon cul ! J'ai une bagnole depuis hier, qu'est-ce que tu crois ? Je suis un putain de flic, à présent, t'es au courant, mon vieux ? Une Renault 5 gonflée. A cette heure-là, je traverse la place de la Concorde en quatre secondes, tu paries ?

— Tu as eu le temps de passer ton permis ?

— Pas encore, mais j'ai une carte de poulet, mon vieux, et c'est bien plus bath qu'un permis de conduire ! Tout le monde a le permis de conduire, mais pas une carte de la Préfecture, ça c'est chié ! O.K., j'arrive !

Il raccroche. Je fais comme dans les films à la con. Tu sais, je t'en ai déjà causé : le gars cisaillé par une brutale nouvelle qui se met à visionner son combiné comme une boule de cristal avant de le replacer sur sa selle.

Je me décide enfin et me tourne vers Maria, laquelle m'a suivi et attend dans l'encadrement. Je m'aperçois seulement à cet instant que, selon ma bonne habitude, je ne porte pour vêtement que ma veste de pyjama. Qu'en plus, je tricotine un brin, biscotte la fatigue. Coquette bat la mesure à la langoureuse. Pas impétueuse du tout, mais confiante dans sa destinée. Prometteuse, quoi. Toujours est-il que la jeune bonne n'a d' yeux que pour elle. Fascinée, littéralement !

Ah ! non, dis, je vais pas m'embourber une ancillaire ! Ce sont des faiblesses néfastes à la bonne marche d'une maison. La soubrette que t'as tringlée se croit ensuite promue et te le fait sentir. Sans parler des plus garces qui, même en ces temps de pilules soldées en promotion, viennent te chiquer à la pauvre vierge enceintée par le gros patron dégueulasse !

Je tire sur les pans de ma veste en me penchant en avant pour pouvoir disposer d'un max de tissu. Je trottine en direction de l'escadrin. Mais ma zézette guerrière s'émoustille, se muscle à outrance et, floc ! échappe à mon contrôle pour jouer Chantecler. Le gag fait marrer Maria ! De bon cœur, vraiment !

C'est si spontané, si... sain, oui : sain, que je la juge illico incapable de donner une suite perverse à un éventuel rapprochement social.

— Elle est belle ! chuchote-t-elle, toujours rieuse (et admirative).

— Si ça vous intéresse de tâter du produit français, ma chère petite, on pourrait arranger ça.

— Je ne sais pas, fait-elle d'une voix consentante, en cherchant déjà du regard un endroit ad hoc où perpétrer cet accouplement impromptu.

Car elle sait bien qu'il serait téméraire de prétendre remonter l'escalier, ce trajet risquant de compromettre la flambée qui nous embrase. Ces choses-là c'est tout de suite ou jamais. A la minute, là, par terre. Pulsif, quoi !

Je la biche dans mes bras. Elle sent le lit et encore un peu Mir Lessive, plus la fille pauvre aussi. Toutes odeurs qui, réunies et appréciées par un expert de l'olfactif, engendrent d'exquis fantasmes. On exécute une espèce de danse de grizzlis en goguette qui nous conduit jusqu'au canapé du salon. Retrousser sa chemise de nuit est un bonheur. Elle est solide, la môme, légèrement épaisse, quoi ; avec des attaches un peu fortes. Je lui confirme mes intentions par quelques caresses polies. Merde, c'est pas parce que tu brosses la bonne qu'il faut la traiter par-dessous sa jambe ! Elle a droit aux égards de toutes les donzelles bénéficiant de tes ardeurs, moi je dis. Aux indispensables prémices. La plupart des animaux y souscrivent, non ? Je lui pratique donc une moulasse-partie circulaire avec médius incorporé. Je ne me risque pas à la minouche galante, compte tenu du fait qu'elle s'est réveillée au milieu de la noye pour répondre au bigophone et n'a donc pas eu l'opportunité de se *faire* une chaglatte de gala. Mais elle n'est pas exigeante. Elle, c'est à votre bon cœur, mon beau patron. Le cahier des réclamations, et celui des décharges, elle ignore. Ces choses-là ne viennent qu'à l'usage répété, or je compte bien m'en tenir là. Je lui fais son Noël et pointe à la ligne !

Pas qu'elle me prenne l'habitude. Juste une interprétation en trombe des « Lavandières du Portugal ». Avec, comme suite logique, une fois le forcing opéré, « Avril au Portugal », sur le mode mineur, pour la période douce qui conduit au déboulé final. Elle brosse bêtasse, la Maria. De vraiment voluptueuses, crois-moi, je ne te le répéterai jamais suffisamment, y a que les petites bourgeoises désœuvrées. C'est pourquoi tous les bourgeois sont cornards. Leurs nanas sont trop talentueuses, trop conditionnées pour la bagatelle ; elles peuvent pas se permettre d'être fidèles. Comme si une infirmière de classe ne soignait qu'un seul malade. Ma gentille Ibérique, c'est simplement le genre troussée. La botte sans complication. Vas-y, mon grand, je t'encaisse cinq sur cinq ! Elle baise parce que ça se fait, que l'instinct animal de reproduction est là qui pousse au cul ; sinon elle pourrait s'abstiendre, se faire servante du curé, nonne ou je ne sais quoi d'autre dans la chasteté. Une brave bougresse qui monte au fion comme elle va faire la vaisselle ou les chambres. Du plaisir ? Oui, sans doute, mais tout juste à la limite. Et encore parce qu'elle est bitée par un seigneur du radada ! Y a tout de même des ondes de choc qui lui glitouillent le clito. Elle fait des « rrran rrran wwwwraou » de bon aloi. Pas par politesse, non, au contraire : elle voudrait réfréner, craignant de se montrer indiscrète. La vague de fond qui la soulève, quoi. La vaillante pousse de son mieux, m'agrippe (espagnole), tourne la tête de gauche de droite, par saccades, comme elle a vu faire au ciné dans les films qu'ont pas la cote catholique. Je l'emporte jusqu'au septième ciel, lui laisse exécuter son lâcher de ballons, puis lui place ma botte secrète ultime.

Voilà. Ma bonne est servie ! Chacun son tour. En me retirant, je constate qu'elle se trouvait dans une posture vachetement triquante, Maria. Une jambe par-dessus l'accoudoir du canapé, l'autre allongée sur la moquette, les bras en croix, la chemise roulée jusqu'au menton, mais avec un superbe nichemard en vadrouille cependant. Composition de prestige ! Dans ces cas suprêmes, tu files un ultime petit bizou à ta partenaire en lui roucoulant une délicate fadaise. Moi, j'étudie notre *post coïtum.* S'agit pas d'engager l'avenir, non plus que de se montrer mufle. J'opte pour une gentille tape sur la joue, ponctuée d'un mutin :

— Eh bien, c'est du joli, petite friponne ! Si maman savait ça...

On est lâche, hein ? Et même pleinement dégueulasse, je trouve. En somme, par cette phrase je lui fais endosser la pleine responsabilité de notre étreinte. Le péché est tout à son crédit, je ne suis que le faible et presque repentant complice de cette galipette. Ah ! salaud d'homme ! J'ai honte. Mais c'est tellement mieux ainsi.

Maria se retire à petits pas courts dans ses appartements. Moi, je monte passer le pantalon du pyjama et ma robe de chambre en pomme de terre. Que déjà le négro carillonne, ce grand glandeur.

Il est là, somptueux, le nouvel inspecteur : jean qui moule son cul et ses longues jambes de danseur noir, polo blanc, blouson de faux cuir dans les rouge-bordeaux. Sur le polo, y a écrit en anglais « Oui, j'en ai une grosse, et alors ? ». J'aime bien ces espèces de messages indirects : ils situent celui qui les véhicule.

— Tu te laisses pousser la moustache, monsieur Blanc ?

— Ouais, un nègre avec des baffies, ça fout davantage les foies, je trouve, pas toi ?

— Peut-être bien. Alors, cosaque, ta nouveauté urgentissime ?

Il déballe une langue rose-frifri, la promène sur les craquelures de ses énormes lèvres noires ; bien s'humecter l'orifice avant de mouliner.

— Tu te souviens que j'étais balayeur avant que tu me fasses entrer dans ta putain de police de merde ?

— Je sais : toutes les commerçantes de Saint-Germain-des-Prés se masturbaient en te regardant usiner.

— Commence pas avec tes dégueulasseries, bordel ! Tu ne sais parler que de cul et de baise. Vous avez aucun respect pour l'amour dans ce pays de minables !

— On ne pense qu'à ça, mon pote, plaidé-je. Mais que ça ne te retienne pas de me narrer ta petite affaire.

— J'ai été remplacé par un collègue à moi : Melchior Troulala. Je passe de temps en temps, le matin dans le quartier, voir comment il s'en tire. Il est un peu con, mon vieux, un tout petit peu seulement, et alors il ne sait pas placer son sac derrière la bouche d'égout du caniveau pour arrêter l'eau, tu piges ? Sa foutue marotte de chiasse, c'est de le mettre trop en biais, ce qui fait que l'eau continue plus loin. J'ai beau lui dire... C'est pas qu'il soit franchement con, Melchior, mais il n'est pas très intelligent !

— C'est intéressant, approuvé-je, je suis heureux que tu viennes au milieu de la nuit pour me raconter ça. Quand je pense que j'aurais pu dormir bêtement !

— Arrête tes vannes, ça c'est le préambule.

— Si la suite est de cette qualité, on met tout ça

noir sur blanc et on attend le passage du prochain Goncourt !

Jérémie hausse les épaules.

— C'est dur d'avoir une conversation sérieuse avec toi. Tu veux que je te fasse un café ? Moi, j'en boirais bien un.

— Je suggère que tu fasses comme chez toi, permets-je.

Nous nous déplaçons jusqu'à la cuisine où Jérémie se met à vaquer, trouvant sans problème les différents éléments d'ingrédients dont il a besoin.

— J'en reviens à mon pote Melchior, fait-il en garnissant la cafetière.

— J'allais t'en prier car j'ai une nostalgie folle de lui.

— Melchior a été intrigué par l'installation sur le trottoir de la rue Piquebise, d'une cabane de cantonnier.

— Pourquoi ?

— Il ne la trouvait pas conforme.

— Conforme à quoi, mon sombre ami ?

— Aux autres dont les services de la voirie se servent pour travailler sur la voie publique. Il me l'a montrée et, effectivement, c'est une copie plus ou moins approchante de la cabane 28 ter améliorée actuellement en exercice dans la capitale. Quand on est du métier, on mesure la différence.

— Alors ?

— Toutes sont numérotées. J'ai pris le numéro de celle-ci et suis allé vérifier au dépôt. C'est le numéro 608 A tiret 08.

— Très bien, ensuite ?

— Ensuite, écoute ça, mon vieux avec tes putains d'oreilles de flic : la cabane 608 A tiret 08 existe bien, mais elle se trouve actuellement place du

29 Juin à Courbevoie (1) où l'on procède à des réparations de canalisations.

Une bonne odeur du caoua chaud se répand dans l'air à la ronde, attisant mon énergie défaillante.

— Eminemment intéressant, monsieur Blanc.

— N'est-ce pas ? Maintenant, il faut revenir à la fausse cabane. Elle est plantée devant une succursale du Crédit Lyonnais.

— Je l'aurais parié.

— En ce moment, des hommes travaillent sous terre. On entend des pics pneumatiques, très assourdis. Si tu veux mon avis, grand chef, une bande de petits rigolos refait le coup des égouts de Nice. Une fourgonnette est stoppée près de la cabane et deux types sont à l'intérieur, qui font le guet, prêts à intervenir si un os se produit.

— Tu n'as prévenu personne d'autre, monsieur Blanc ?

— Pour me faire griller l'affaire ? T'es de plus en plus con, toi, mon vieux, ça s'arrange pas. Je raconte ça à nos supérieurs, ils organisent une traque et je suis marron !

Mon sourire l'agace.

— Mouais, je sais que je le suis de toute manière, ricane Jérémie, mais ce coup-là, c'est moi qui l'ai levé. C'est mon affaire, m'sieur le commissaire. Je ne veux pas qu'elle soit réglée en dehors de moi. C'est pourquoi je t'ai attendu. On opère nous deux, vite fait bien fait, d'accord ?

— A deux, c'est un peu chétif, surtout si tes

(1) Je précise pour les incultes qui, éventuellement, se seraient glissés dans la foule de mes lecteurs, que le 29 juin est la date de mon anniversaire. Je remercie la municipalité de Courbevoie qui s'est plu à l'immortaliser.

San-A.

zèbres sont sur le qui-vive. Il nous faut Bérurier et Mathias. Mais tu es certain de ton fait, au moins ?

— Putain de merde, tu es comme saint Thomas !

Je tressaille. Saint Thomas ! L'oncle Tom !

Jérémie verse le café. Ça renifle chouette. Et il est corsé à souhait, heureusement, parce que c'est pas encore cette nuit que je vais battre le record du monde de la pioncette sur Espéda multispires.

Une heure plus tard, tout est paré. Je veux pas me moucher du coude, pas davantage me balancer des coups de tatane dans les chevilles, mais comme organisateur, franchement je mérite mon grade et ma répute.

Bérurier ronchonne à s'en décaper les muqueuses. Il dit qu'un mec comme moi, très peu merci ! A la longue, ça flanque des rhumatisses auriculaires aigus. Bon, je pars pour le Brésil en loucedé. Qu'à peine si j'en informe le Vieux. Les potes ? Zob ! Zob ! Et Bite ! Et puis je refais surface à des quatre plombes du mat' pour réaliser un coup de main, style commando suicide, contre des gars qu'un con de nègre, flic de deux jours à peine, répute malfrats de haut niveau ! Lui, il s'a endormi à point d'heure, biscotte Apollon-Jules, son rejeton, a la rougeole et qu'il bieurle comme un veau ! Et dites donc, les gars : il se fendrait le pébroque, Alexandre-Benoît, si les faux égoutiers c'étaient des vrais ! Il parie que le négro s'est foutu le doigt dans l'œil qu'il a énorme, ce grand serin. Alors là, il voudrait se claquer les jambons, le Gros, qu'on joue les Rambo contre d'honnêtes manars ! Cette crise dans la Rousse !

A la fin, M. Blanc, pincé, assure au Mastar que s'il s'abstenait de jacter comme une girouette rouillée dans la tempête, on s'apercevrait moins qu'il est con.

Il préconise le silence complet dans les cas aussi désespérés que le sien, Béru. Il lui dit que, muet, avec des lunettes noires et le bitos rabattu sur la devanture, il risquerait de faire illuse. On pourrait le croire normal, obèse mais normal !

Comme il leur est arrivé d'en venir aux mains, je stoppe l'envenimure d'un fort coup de gueule. Mathias, quant à lui, s'occupe de son outillage : une espèce de sulfateuse à long bec, comme en ont les vignerons pour traiter les ceps. Je me livre à un récapitulatif de l'opération. Mes trois guerriers acquiescent. Bérurier, pour opérer ce coup de main a absolument tenu à prendre sa propre voiture, ce qui est une bonne chose. Je te rappelle que le Mammouth possède une traction avant Citroën de l'immédiate après-guerre, tellement déglinguée qu'il faut en faire le tour à deux ou trois reprises avant de pouvoir se prononcer sur la marque. Le pare-brise a été remplacé par du contre-plaqué dans quoi il a ménagé une meurtrière. Il n'y a plus de garde-boue avant ; les portières sont maintenues à l'aide de fil de fer et une malle d'osier, rachetée peut-être à l'exécuteur des hautes œuvres dont l'emploi a été supprimé, remplace le coffre à bagages.

— Bon, alors c'est laquelle est-ce ? râloche l'Enflure, debout près de son bolide comme un coureur de Grand Prix posant pour un magazine sportif.

— Une fourgonnette Juvaquatre blanche. Tu peux pas te gourer. Elle est stationnée deux mètres avant la cabane.

— Jockey ! Paré !

Il décarre de la rue avoisinante d'où nous lançons l'opération. Sa tire, au Gros, quand elle est en marche, t'as l'impression qu'il se passe un truc inexorable ; que plus rien (et surtout pas ses anciens freins) ne pourra l'arrêter ; seul un obstacle conséquent... Et encore ! Y a du char d'assaut dans cet engin. Son bruit de batteuse, déjà, crée l'angoisse. Son tintamarre comme cent casseroles aux queues de cent chiens ! L'opacité du pare-brise épouvante. On songe à un martien bricoleur qui aurait fabriqué soi-même sa fusée.

Et rrrra guelinggg tzzboum chpalff cliiiiing ! C'est parti. La vénérable caisse enquille la rue Piquebise. Je démarre à mon tour, Jérémie à mon côté, Mathias à l'arrière avec sa bordèlerie à pompe. Cette chignole dans Paname endormi, tu peux pas t'imaginer ! Ubuesque ! Un film du muet ! Elle fonce en louvoyant chouïette, car la direction est faussée et n'y a plus d'amortisseurs.

Il n'a pas mis sa ceinture, le Dodu, vu qu'il n'en a pas. Mais il va se cramponner sec. S'arc-bouter à mort. Choisir la pose idéale. Je vois sa pompe continuer de louvoyer en vomissant un nuage de fumaga noire.

Alerté par cette survenance tintamaresque, le conducteur de la fourgonnette Juva ne peut s'empêcher de mettre sa tronche à la portière. Tout de suite, il a cru à l'arrivée des Russes, cézigue. Quand il constate qu'il ne s'agit pas d'un régiment d'engins blindés, mais de cette relique échappée d'un Laurel et Hardy, il se marre.

Pas longtemps. La traction s'est mise à rouler franchement à gauche de la rue, bien que celle-ci soit à double sens. Et puis, brusquement, comme si elle échappait au contrôle de son pilote, elle fonce sur la Juva. C'est le crash ! Un fracas de tôles déguisées en papier chiotte dont l'emploi serait imminent.

Le silence qui succède paraît rouler encore les échos de l'impact. La fourgonnette s'est encastrée dans l'arrière d'une Mercedes stationnée devant elle. Moi je raboule en berzingue inouï. Coup de frein qui me jette le cul de traviole. On jaillit, M. Blanc et moi. Revolver au poing.

Deux bonds pour se porter à la hauteur de la cabine de la Juva. Son conducteur est coincé dans de la ferraille et gueule pire qu'une putoise en couches. Dans la partie arrière, se trouve un second gazier, seulement estourbi. Il a une mitraillette dans la main et la soulève dans notre direction.

Floc ! Floc ! fait le pétard de Jérémie. Le mec lâche son Raskolnikoff, car il a les deux mains éclatées. Ouf ! On est bonnard ! M. Blanc ne s'était pas trompé.

Where is Mathias ? Eh ben, il usine, le père de famille nombreuse. Et avec brio, espère. Son calme est impressionnant. Il ne s'occupe pas de la partie Verdun de l'opé, vu qu'elle nous incombe. Lui, il exécute sa partition et un point c'est tout. Pour débuter sa prestation, il a flanqué un grand coup de poinçon dans la tôle de la cabane, ce qui produit fatalement un trou. Il enfonce le bec de sa sulfateuse par l'orifice, actionne le levier d'éviction et le gaz contenu dans la sulfateuse passe de celle-ci à la cabane. C'est d'une précision et d'une promptitude telles que son boulot n'a pas duré dix secondes. Un rêve !

Impavide, le Rouquin tire de ses poches deux coins de bois très effilés qu'il glisse en bas et en haut de la porte et enfonce à l'aide d'un marteau.

Un léger temps mort s'écoule. Et voilà que ça remue et même remue-ménage dans la guitoune. Un grouillement affolé. Une précipitance noire ! Des plaintes. On cogne à la porte. Faiblement.

— L'effet est immédiat, nous dit Mathias. On pourra ouvrir dans trois minutes.

J'en profite pour, depuis ma bagnole, téléphoner à la Grande Cabane afin qu'on nous envoie ce qu'il faut : du monde, des ambulances, un panier à salade.

Bérurier examine sa tire qui n'a pas subi de

déprédations nouvelles dans le télescopage volontaire, si diaboliquement exécuté.

— T'as vu dans quel état ils m'ont mis ma voiture ? m'apostrophe-t-il. J'espère qu'on va m'en payer une neuve, non ?

Van Gogh est à ma connaissance,
le seul homme qui ait pu dormir
sur ses deux oreilles.

Aux aurores, nous sommes chez le Vieux, Jérémie et moi, pour le mettre au courant des péripéties de la noye. Quand je dis « chez le Vieux », je ne parle pas de son bureau de la Rousse, mais de son hôtel particulier de Neuilly. Il est rarissime que je force la porte de son donjon, Achille n'aimant point trop que ses subordonnés vinssent se rouler dans son luxe privé. La présence de mon nouveau compagnon le fait renifler un peu fort. Au sein de cet univers Louis XV pur fruit, avec les murs tendus de soie, les délicats Watteau et les Fragonard, les vitrines contenant des collections de tabatières en or ou de flacons de sels, il fait un peu « Mise à sac de la plantation », M. Blanc, voire même « Les Insurgés chez le gouverneur ».

Chemin venant, je lui ai expliqué que, dans notre métier, ce que l'on nous pardonne le plus difficilement ce sont nos prouesses. Les bévues s'oublient vite, les exploits engendrent de longues rancœurs.

— Ton coup d'éclat, Jérémie, lui ai-je dit, il faut à présent le faire endosser par les instances supérieures sinon il te retombera lourdement sur la gueule. Suis-moi, écoute-moi et dis *amen* à tout.

Et bon, donc, nous voici dans un des salons du

Tondu. Debout. Lui en robe de chambre de satin pourpre à parements noirs. Plus impressionnant en fait que lorsqu'il est en bleu croisé dans son burlingue du Quai.

— Monsieur le directeur, fais-je, en préambule, j'ai le plaisir de vous annoncer que nous avons pu, grâce à vos directives, mener à bien la mission d'intervention que vous nous avez confiée.

Son œil droit s'écarquille et devient aussi grand que la grande rosace de Notre-Dame. Mais je ne lui laisse pas le temps de poser une question qu'il regretterait postérieurement.

— Lorsque, cette nuit, l'inspecteur Jérémie Blanc qui fut, avant d'entrer dans nos rangs, balayeur de première classe à la voirie, m'avertit qu'il avait repéré de faux collègues à lui en train de creuser devant une succursale du Crédit Lyonnais de la rue Piquebise, je pris aussitôt contact avec vous...

A ce point précis de mon rapport, j'adresse une mimique hautement expressive à Mgr le Vieux Crabe, mimique qui amorce un clin d'œil mais ne l'exécute pas complètement, qui me fait avancer les lèvres pour un projet de baiser aussitôt réfréné et qui emplit mon regard éloquent d'une diabolique malice. Achille encaisse le message et gagne en imperturbabilité.

Je continue donc :

— Lorsque je vous ai prévenu que l'inspecteur Blanc avait également repéré des guetteurs dans une fourgonnette, vous eûtes la bonne idée de nous conseiller un télescopage de ladite voiture, dont Bérurier s'acquitta avec le punch que vous lui connaissez ; de même, votre ingénieuse idée de gazer la cabane protectrice masquant le forage des gangsters s'avéra-t-elle payante puisque nous cueillîmes toute la bande sans avoir à faire usage de nos armes. Seul, l'un des hommes de guet eut droit à l'intervention de ce vaillant Jérémie Blanc, en état de légitime défense, rassurez-vous. Bref, succès complet de l'opération qui a démontré combien vous fûtes bien inspiré en décidant l'inspecteur Blanc à entrer dans la police. Comme toujours, vous avez fait montre d'un flair étonnant, monsieur le directeur.

Sir Achille est parfait. Pas démonté le moindre. D'une majesté à se pisser dans les guenilles. Lorsque je me tais, il a un petit geste apaisant de la main.

— Voilà qui est très bien, mes amis, déclare-t-il. Asseyez-vous. Vous aussi, Blanc, ce n'est pas parce que vous êtes noir que vous n'avez pas droit à un siège. Vous ne déteignez pas, je suppose ?

Il rit. Je ris servile. Jérémie reste marmoréen. Le Vieux se frotte les mains en signe d'allégresse.

— Je donnerai une conférence de presse à midi, déclare l'Eminent. En attendant nous allons boire un bon café, vous l'avez mérité.

— Nous ne voudrions pas abuser, monsieur le directeur. Il se fait tôt et voilà une bonne soixantaine d'heures que je n'ai…

— J'ai des choses à vous dire, San-Antonio. « D'autres » instructions à vous donner. Je vais demander à mon valet de nous préparer un petit déjeuner.

Il sort. Jérémie se prend la tronche à deux mains.

— T'es chié, toi, mon vieux ! déclare la nouvelle et brillante recrue. Et lui aussi, il est chié ! Alors là, faut pas craindre la honte ! Comment qu'il se laisse mouiller la compresse, ce vieux schnock ! Les tartines de miel, il s'en fait péter la sous-ventrière !

— Que cette scène te serve de leçon, mon fils, réponds-je doctement. Il est prudent d'offrir à nos supérieurs ce qu'ils nous prendraient de toute façon, ainsi nous aiment-ils de leur garder bonne conscience.

Le caoua est délicieux et s'accompagne d'une foule de délicates pâtisseries anglaises, car le chauffeur-valet de chambre du Dabe est britannique à ne plus en pouvoir. Il fut livré au Vioque en même temps que sa Rolls Phantom, voici une trentaine d'années, et n'a plus quitté son service depuis.

— Vous aviez, disiez-vous, une autre mission à me confier, patron ?

Le monarque boit à frêles gorgées, le petit doigt écarté de la tasse. Il prend son temps.

— Figurez-vous qu'hier, en fin d'après-midi, j'ai eu une longue conversation avec nos confrères chambériens.

— Le commissaire Bavochard ?

— Si fait.

— Ils ont sur les bras, là-bas, une mystérieuse affaire d'assassinat dont ils ne sont pas fichus de se dépatouiller. Bavochard prétend être de vos amis et souhaite que vous soyez délégué sur cette histoire.

Sacré Bavo ! Il n'a pas supporté mon coup de sang et, pour se faire pardonner son sarcasme, use de moyens détournés pour que j'entre dans la danse. Brave mec !

— Ce n'est pas légal, argué-je.

Le Vieux fait un bruit de pet de rosière avec sa bouche.

— La légalité et vous, mon bon Sana, hein ? (Il rit.) Je ne vous ai pas élevé au garde-à-vous avec le texte des lois sur un lutrin ! Certes, au début j'ai renâclé, mais ce bougre d'homme s'est montré si convaincant qu'il a fini par obtenir gain de cause. Alors, en route pour Chambéry, mon petit vieux !

Un silence succède. Je gamberge à tout va, puis :

— Le commissaire Bavochard vous a-t-il dit que je connaissais la victime ?

Sursaut du Scalpé.

— Non, il ne m'en a pas parlé. Vous connaissiez la victime ?

— J'étais hier à ses funérailles. Il s'agissait d'un vieux paysan avec lequel a vécu une sœur de ma mère.

— Eh bien alors, vous avez une bonne raison pour sauter sur cette enquête, mon petit !

Son *petit* ne lui rétorque pas qu'il en a une meilleure encore pour la refuser.

— Monsieur le directeur, je voudrais solliciter une faveur de votre extraordinairement haute bienveillance.

— Tout me porte à penser qu'elle est accordée d'avance, roucoule ce vieux pigeon ramier.

— J'aimerais que vous chargiez officiellement de cette mission l'inspecteur Blanc ici présent ; moi je resterai en marge et mon nom n'apparaîtra pas, à aucun moment. Si nous obtenons des résultats positifs, ils seront totalement crédités à Jérémie.

— Où diable voulez-vous en venir, San-Antonio ?

— A rien de particulier, monsieur le directeur. Disons que je me sens moralement exclu du fait que j'ai connu le mort.

Le Dabuche achève de gouloter son caoua. Il réfléchit. Quand il pense profondément, son crâne brille davantage, comme un globe terrestre éclairé de l'intérieur.

— Qu'il en soit fait selon vos désirs, mon garçon.

Harassé, l'Antonio. Trop c'est trop. Combien de fois, dans ma putain de vie, aurais-je tiré sur la ficelle jusqu'à son point de rupture ? Tu trouves que c'est bon pour la santé, toi, de rester des jours et des nuits d'affilée sans pioncer ?

— T'as l'air en pleine vape ! remarque Fleur de Baobab.

— Parce que j'y suis.

— Tu me racontes ton affaire de Chambéry ?

Mon premier mouvement est pour refuser, remettre à plus tard. Mais comme je dois le ramener jusque chez moi afin qu'il récupère sa bagnole, autant plonger. Jacter me tiendra éveillé. Alors bon, en phrases lasses, je lui résume le topo. Nous autres, jadis, qui rendions visite à tante Mathilde. Le grigou pas joyce de notre venue. Et puis, en 74, voilà qu'il teste en prévoyant sa mort brutale, il me confie pratiquement l'enquête qui en consécuterait. Et effectivement, douze ans plus tard, on le cigogne vilainement, l'oncle Tom ! La bite fendue, les tripes à l'air, les joues découpées, suspendu par les pieds jusqu'à ce que mort s'ensuive. Ni vu, ni connu ! Pas d'indices ! Une Renault 25, probablement. Sinon, *the black-out* total !

Je bâille, réprime une embardée de ma Maserati. C'est drôlement sournois, le sommeil quand tu pilotes. Il t'investit mine de rien. Tu crois le maîtriser encore quand, déjà, il t'embarque vers les extravagances.

— Gaffe, vieux, tu vas nous fraiser ! grogne Jérémie. Tu veux que je conduise ?

— Une Maserati, sans permis !

— Vaut mieux conduire sans permis et être bien éveillé que de conduire avec permis et roupiller !

J'achève la traversée du Bois et amorce la rampe de Saint-Cloud.

— Tu sais par quoi débutera l'enquête ? demande M. Blanc.

— Pas la moindre idée, on avisera quand j'aurai récupéré.

— Moi, je sais.

— Sans blague.

— Il faut commencer par le commencement.

— Et c'est quoi, le commencement ?

Il hausse les épaules.

— Ta mère !

Un con est un con,
dit Lamartine à Elvire.

Le vent léger de la nuit apportait des senteurs marines sur la plage de Calamitybeach (côte Est des Etages-Unis). A droite de la cité balnéaire se trouvait le petit port avec ses bateaux pressés en un vaste troupeau blanc. Beaucoup de voiliers. Leurs haubans agités par la brise produisaient ce petit bruit nombreux et irritant qui signale la proximité des ports de plaisance aux promeneurs solitaires. Le ciel était bas, gonflé, avec des zébrures livides qui lui donnaient un petit air d'apocalypse. Sur la gauche s'étendait la plage peu engageante puisque composée de galets grisâtres. A l'extrémité de celle-ci, une jetée de planches s'avançait dans la mer. Elle était inutile, très vieille et vermoulue. On l'avait construite avant le port pour y amarrer des barques de pêche ; mais depuis que le port était né, elle périssait lamentablement, noire et vaseuse, et onc ne songeait, au conseil municipal de Calamitybeach à la faire démolir. Calamitybeach ne comptait pas parmi les stations à la mode. Elle réunissait, l'été, de modestes vacanciers en provenance de Baltimore ou de Philadelphie qui s'entassaient par familles, souvent nombreuses, dans des cabanons de planches aux couleurs pimpantes.

L'homme portait un complet blanc froissé et une chemise bleu sombre. Il était âgé d'une cinquantaine d'années, ses cheveux grisonnants se raréfiaient sur le dessus de la tête. Il n'avait presque pas de cou, ce qui accentuait son aspect massif. Depuis plus d'une demi-heure il arpentait la jetée, fumant cigarette sur cigarette. Il les jetait à la mer, à demi consumées, en se demandant si on ne lui avait pas posé un lapin. Ce n'était pas la première fois qu'il travaillait pour ce « client ». L'homme lui avait déjà confié deux affaires dont il s'était parfaitement acquitté. Il avait perçu le montant de son contrat sans problème, et cependant, ce soir-là, peut-être (et même probablement) à cause de son échec, le doute s'emparait de lui.

On entendait, portée par l'eau, une musique de danse en provenance de Néo-Atlantic, de l'autre côté de la baie, dont il distinguait le miroitement, très loin là-bas, sur l'eau sombre.

Il regarda le cadran lumineux de sa montre de plongée qui indiquait onze heures dix minutes du soir : quarante minutes de retard ! « Il » ne viendrait plus. Et pourtant la voix au téléphone avait été formelle : « Soyez à dix heures trente sur le ponton de Calamitybeach et attendez. »

Un empêchement ? Il n'y croyait pas trop. Son client n'était pas du genre « fâcheux contretemps ». Alors ? Tenait-on à le laisser mijoter parce qu'on devait lui apporter un paquet de fric ? D'abord, il n'était pas certain qu'on le lui remît car, après tout, il n'avait pas respecté entièrement les clauses du marché. Certes, ce n'était pas sa faute, mais un contrat est un contrat et son client ne badinait pas. D'une chiquenaude, il expédia sa énième cigarette dans l'Atlantique. Elle produisit un petit bruit de succion au contact de l'eau.

Il allait en tirer une nouvelle de sa poche lorsque

les phares d'une Cadillac noire trouèrent la nuit. L'auto était noire, non seulement par sa carrosserie, mais également par ses vitres. C'était une grosse masse géométrique, brillante et opaque comme un bloc de charbon.

Elle stoppa à la hauteur de la jetée. Une portière arrière s'ouvrit et un homme en sortit avec lenteur. Il était vêtu de noir, portait des lunettes teintées et il était coiffé d'un étrange chapeau à large bord de style espagnol. Il claudiquait en s'appuyant sur une énorme canne de bambou à poignée d'ivoire. Sans forcer l'allure, il s'engagea sur le ponton et sa démarche saccadée fit résonner celui-ci étrangement.

— Je commençais à me demander si vous viendriez ! fit l'homme en blanc à l'homme en noir.

— Je viens toujours quand je l'ai dit, riposta l'autre.

Sa voix avait un accent légèrement velouté qui trahissait des origines latines, et cependant elle restait impersonnelle, presque mécanique comme celle d'un répondeur du service des postes. Il ne s'excusa pas à propos de son retard et continuait d'avancer sur le ponton, tâtant les planches usées du bout de sa canne, pour s'assurer de leur solidité. Il paraissait avoir hâte d'atteindre l'extrémité de cette jetée branlante, comme s'il redoutait que des oreilles indiscrètes fussent embusquées dessous. Un homme de précautions !

Le type en blanc éprouvait une espèce de malaise. Cet individu l'avait toujours incommodé par sa froideur. Il ne lui avait jamais vu les yeux, mais se doutait que ceux-ci ne devaient pas être les yeux de n'importe qui.

Ils cheminèrent sans parler jusqu'à la fin du ponton. A cet endroit, on avait l'impression de se trouver à la proue d'un bateau car on était environné d'eau. La forte houle jetait des vagues flasques contre les pilotis et le bruit d'éternité de l'océan s'enflait à donner le vertige.

— Comment cela s'est-il passé ? articula le boiteux.

— Pas du tout comme nous le souhaitions, fit l'autre.

— C'est-à-dire ?

— Je lui ai fait subir les pires... ennuis et il n'a pas parlé.

L'autre resta sans réaction, attendant un complément d'explications.

— J'ai même usé du sérum de vérité, ajouta le type en blanc. Une injection de cheval. Il a prétendu qu'il ignorait tout de cette histoire.

Son interlocuteur ne répondit pas.

— En tout cas, soyez persuadé d'une chose : ce qu'il a salement dégusté, personne n'aurait pu supporter ce traitement sans se mettre à table. S'il n'a pas parlé, c'est qu'il ne savait rien.

Toujours le silence. Le bonhomme sans cou se racla la gorge.

— Je lui ai fendu la bite en deux, fit-il en baissant la voix. Je lui ai découpé les joues. Je lui ai sorti les tripes en prenant garde de ne pas le tuer. Comme il me répétait toujours la même chose j'ai entrepris des recherches dans sa maison et dans les dépendances. Tout fouillé, tout exploré à la loupe, tout sondé, j'ai creusé le sol, que sais-je ! Quatre heures de boulot et rien ! J'ai trouvé des paperasses mais toutes concernaient sa vie à lui. Je les ai brûlées à toutes fins utiles. Quand j'en ai eu terminé, il était mort comme une brique des suites de ses blessures.

L'homme noir prit enfin la parole :

— En somme, c'est un échec complet ?

L'autre tressaillit.

— Comme vous y allez ! Je ne pouvais pas découvrir des documents qu'il n'avait pas. Car il ne les avait pas, fatalement. Je vous répète qu'il est impossible de résister à mon traitement. Il pleurait, criait grâce, priait !

— Il n'y a rien de plus buté qu'un vieux paysan savoyard, fit l'homme à la canne.

— La résistance humaine a des limites. L'homme m'implorait pour que je l'achève ; croyez-vous qu'il se serait obstiné à fermer sa putain de gueule s'il avait eu le moyen de stopper la séance ?

— C'est un échec ! gronda le « client » de l'homme en blanc. Vous ne me ramenez rien du tout et maintenant ce vieux salaud est crevé ! J'ai eu tort de vous faire confiance, monsieur Burk.

Ainsi apostrophé, le tueur blêmit. Une bouffée ardente, rouge comme la mort, lui fit porter la main à son veston.

— Je ne vous permets pas de me parler ainsi ! dit-il. Je n'ai rien ramené parce qu'il n'y avait rien à ramener, alors payez-moi !

— Je vais vous payer avec ma canne, espèce de tocard ! grinça son interlocuteur en levant sa canne pour lui en porter un coup.

Subconsciemment, Burk fut surpris par la lenteur de son mouvement ; il n'en saisit pas moins la canne à deux mains dans un réflexe naturel. Alors l'homme en noir donna un coup sec en arrière, pour dégager la longue lame fine qui se cachait dans le tube de bambou, puis il fit le geste inverse et sa fine épée plongea dans le ventre de Burk, sans rencontrer de résistance. Le tueur se retrouva sur le ponton, continuant de serrer à deux mains le fourreau de bambou, avec cette tige d'acier qui le traversait de part en part. Son agresseur retira lentement sa lame du ventre de Burk, puis releva ses lunettes sur son front. Burk vit alors ses yeux pour la première et la dernière fois.

Ils étaient d'un bleu presque fluorescent. L'homme noir le fixait avec une rage incommensurable.

— Tocard ! répéta-t-il. Sale tocard !

Burk voulut se saisir de son pistolet, mais ce simple geste le déséquilibra et il tomba à genoux sur les planches visqueuses. La partie creuse de la canne-épée qu'il serrait toujours jusque-là dans ses doigts crispés lui échappa et roula sur le ponton pour tomber à la mer. L'homme en noir poussa une exclamation de rage. Il tenait beaucoup à sa canne dont il se servait depuis près de vingt ans. C'était un bel objet d'une certaine rareté, acheté jadis chez un antiquaire de Rome.

Il appliqua la pointe de sa lame sur la gorge de Burk, à l'endroit précis où se trouvait la carotide. Un coup sec comme l'estocade au bulbe qui met fin à la vie d'un taureau à l'agonie. Il se produisit un vilain gargouillis. Le veston de Burk rougit à l'emplacement du col et des revers. Son meurtrier se pencha sur le flot écumant. La houle emportait le fourreau de bambou vers le large ; dès lors il souhaita qu'elle l'emmène jusqu'en Afrique.

Tout corps plongé dans un liquide
reçoit une poussée de bas en haut,
sauf si ce liquide
est de l'acide sulfurique.

J'ai perdu la notion de l'heure lorsque je m'éveille. Un certain remue-machin règne dans la maison. J'à-tâtonne en direction de mon étable de chevalet pour y récupérer ma montre. Je lis, comme je te vois, six heures à son beffroi. N'aurais-je donc roupillé qu'une plombe ou bien... C'est *ou bien* qui gagne. Les rideaux tirés hardiment me révèlent un projet de fin de journée plein le ciel.

Je me traîne sous la douche. Plein les endosses ! Du froid, du tiède, du brûlant. *Very well* Saint-Cloud. Un nouvel homme est né. Un peu tard, mais enfin le voilà. Je me vêts en training. Pas que je raffole, mais m'man adore. Ça lui indique que je ne suis pas sur le point de la quitter. J'ai un bel ensemble bleu France avec du blanc aux épaules, qui met en évidence mes génitoires et mes pectoraux.

L'athlète déboule de sa chambre et se heurte à Maria, la bonne. Je lui souris. Elle est en train de fourbir la rampe à la peau de chamois. Loquée princesse. Des atours vertigineux. Un décolleté profond comme le gouffre de Padirac, de la dentelle, des zigoulis, des froulalas, qu'à peine elle a noué par-dessus un tablier du répertoire, celui que les soubrettes mettent pour annoncer comme quoi « Madame est servie. »

— Tiens, vous êtes de sortie, ce soir ? je lui adresse.

Un regard grand comme les deux tunnels percés dans la montagne de Lépine (mais y en a un qui n'est pas encore ouvert et qui ne le sera probablement jamais) et empli d'extase, de mélancolie, d'invitation à la valse m'enveloppe de la tête aux roustons. C'est alors que me revient en mémoire notre aimable troussée express de la veille. Mon sourire s'efface. S'agit pas de commencer un roman d'amour avec la gentille Portugaise poilue comme une mygale.

A mi-escadrin je m'arrête, troublé par une vision anormale. Un gosse noir vient de traverser le couloir en courant. Et puis un autre le suit. Puis Toinet, et un troisième noirpiot. Et encore trois à la fois : des filles en robettes jaunes.

J'achève de débouler et me dirige jusqu'à la cuistance. J'y trouve m'man, l'inspecteur Blanc et Ramadé, son épouse. Cette dernière est devant le sacro-saint fourneau de Félicie en train d'y frigousser des choses.

Je dis bonjour, éberlué par cette invasion sénégalaise.

— J'espère que ce ne sont pas les enfants qui t'ont réveillé, me dit Jérémie ; on a beau leur prêcher le calme, tu sais ce que c'est ?

Oui, je sais ce que c'est. Comment ne le saurais-je en apercevant les meubles renversés du salon, le balancier de notre pendule ancienne accroché au loquet de la porte, et la petite cabane confectionnée dans le couloir à l'aide des tableaux qui, d'ordinaire se contentent d'honorer nos murs.

— J'ai passé la journée avec ta maman qui est au poil, continue Jérémie. Elle me demandait comment c'était la cuisine de chez nous. Alors je suis allé chercher Ramadé pour qu'elle nous mijote un bouffement.

Je louche sur les dix kilos de piments rouges qui pyramident sur la table. Demain, nos chiottes entendront des plaintes, mon vieux, ça je te le dis !

M. Blanc est assis tout au bout de ladite table, devant un cahier d'écolier quadrillé dont il a noirci une flopée de pages.

— Tu écris un roman ? je demande. Une nouvelle version des *Misérables* ou de *L'Amant de lady Chatte à l'Air ?*

— J'ai pris des notes à propos de l'affaire.

— Quelle affaire ?

— Oh ! dis, tu dors encore ou quoi ? L'oncle Tom, mon vieux.

— Bravo ! tu n'as pas perdu de temps.

Je désigne un paquet de lettres posées en vrac devant lui.

— Et ça, des originaux de la marquise de Sévigné ?

— Non. Toutes les lettres que ta tante Mathilde a écrites à ta maman pendant la période où elle a vécu avec Thomas Dugadin.

Eh, dis, pas fou l'artiste ! Quand je t'affirme que c'est un surdoué de la poule, mon Jérémie. Le soir où je suis allé toquer à sa lourde j'ai fait beaucoup pour la gloire de la police françouaise (1).

Je m'assois à son côté, ensuqué par ma dorme diurne.

(1) Ecoute, sois pas con : il faut absolument que tu lises *La fête des paires*. En vente dans toutes les bonnes gares du réseau national et banlieue. Si t'as pas d'argent, lis-le chez un libraire mais ne le vole pas, surtout. L'honnêteté étant le dernier luxe qu'on peut s'offrir de nos jours.

— T'as pas une giclée de caoua à la traîne, m'man ? je m'informe.

Tu penses que si, la chérie. Elle fonctionne à l'ancienne, m'man. C'est pour ça que ses frichtis sont *cool* et que ça baigne autour d'elle. Son fourneau, comme les hauts du Creusot ne s'éteint jamais. Et, en permanence, demeure près du tuyau une énorme cafetière émaillée, blanche, avec des motifs bleus représentant des cerises. Le goulot en col de cygne est jauni. Je crois que Félicie, qui est la propreté même, fait exprès de laisser cette couche brune se former. Elle maintient l'arôme profond du café.

Alors, bon : « la verse pour un ! » comme crient les loufiats dans les bars. J'aime bien le « jus » réchauffé. Pas réchauffé, non, je débloque, « maintenu ». Il faut qu'il reste à bonne température sans bouillir, surtout, puisque « café bouillu, café foutu ».

Elle laisse tomber « mes » trois sucres dans le bol.

Ramadé attend un moufflet pour la prochaine fois. Elle va battre le record de la mère Mathias, un jour, fatal. C'est une femme dodue, silencieuse et d'une gentillesse éperdue. Elle vit « après » son bonhomme comme le vanillier après le support qu'il parasite. L'épouse-liane, comprends-tu ? Sans Jérémie, elle tombe, dépérit et meurt.

Elle me regarde à la dérobée, impressionnée par la majesté qui rayonne de moi. Pour lui calmer l'angoisse inhérente à toute admiration, je lui ponctue des sourires bien dosés : légers, discrets, bienveillants.

L'affaire qu'elle entreprend de cuisiner commence à sentir la fange africaine. Ça vient d'ingrédients spéciaux « de là-bas » qu'elle a foutus dans l'huile de la cuisson. M'man, héroïque, continue de produire un visage « enchanté ». Comme si ce qui se perpètre la ravissait hautement, ma vieille ; toutes ces choses pas comestibles pour nos pauvres estomacs civilisés.

Et le tas de piments qui va se joindre au reste dans pas longtemps, je subodore. Ah ! il va pas être triste, le bouffement de Ramadé Blanc !

— Qu'as-tu trouvé d'intéressant ? questionné-je.

M. Blanc s'enfonce le capuchon de sa pointe Bic dans l'oreille pour se la curer. Il a cet air inspiré du gars qui va prendre son pied. Tout juste s'il se met pas à agiter une jambe comme un chien qui se gratte. Il retire l'objet de son entonnoir, recueille entre pouce et index le produit de ses fouilles, le roule et balance la boulette obtenue à travers la cuisine sans se soucier de son point de chute. Elle tombe à côté de la marmite où mijotent les obscures denrées cuites par Ramadé.

Je me dis que c'est comme une fatalité. Qu'ils soient noirs ou blancs, faut toujours que mes meilleurs potes se comportent comme des dégueulasses.

— Raté ! je lui dis.

— Quoi ?

— Ta boule de cérumen a manqué la casserole, tu crois que ça va être préjudiciable à la qualité du plat ?

Il me regarde, indécis.

— Oh ! je comprends. Ça ne se fait pas de se curer les oreilles.

— Dans sa salle de bains, c'est même recommandé, grand. Mais en public et dans une cuisine, c'est moins apprécié. Si un jour tu mènes une enquête dans la bonne société, ne chie pas dans les pots de fleurs du salon, on risquerait de trouver ça désinvolte.

Il opine.

— T'as raison, faut me dire tout, murmure-t-il. Grand-père bouffait du missionnaire, tu saisis, mon vieux ? Et moi, c'est pas parce que je lis les articles de Michel Droit dans *le Figaro* que je sais tout de votre putain d'éducation de merde ! Laisse-moi le temps de devenir hypocrite.

Il recapuchonne cette merveille du génie humain qu'est une pointe Bic.

— Bon, je te résume...

Il ferme son cahier et le rouvre à la première page.

— Ta tante est décédée en 1975. Elle a vécu neuf ans et sept mois avec Dugadin. Ces lettres reflètent donc une période de la vie de ce vieux allant de 65 à 75.

Il est méthodique, Jérémie. Analytique. C'est essentiel pour pratiquer avec succès ce métier de con.

Les fragrances sortant du chaudron infernal de dame Ramadé sont de plus en plus obsédantes. Franchement, je suis inquiet et me demande s'il est, non pas comestible, mais plus simplement « approchable », son brouet. De grandes angoisses stomacales me taraudent.

— A vrai dire, poursuit mon pote, l'existence de ce Dugadin paraît avoir été monotone. Il se levait avant l'aube, s'occupait de ses animaux, puis de ses champs, bouffait frugalement et allait se pieuter en même temps que ses poules. Ta tante, franchement, elle avait des instincts monacaux pour vivre en compagnie de ce grigou. On sent sa mélancolie en filigrane. La résignation complète. Elle avait la foi, non ? C'était pour préparer sa vie éternelle qu'elle acceptait cette vie ; par mortification. (Il hausse les épaules.) Enfin, chacun voit... comment dites-vous, déjà ? A sa porte ?

— Midi ! Chacun voit midi à sa porte, le renseigné-je.

Il rigole.

— Ce que c'est con, mon vieux, ces sentences ! N'importe quoi ! Plus ça paraît fumeux, plus vous mouillez ! Un besoin qui vous prend de vous gargariser de proverbes, de formules. Une phrase redondante et vous vous mettez à éjaculer de partout, tellement ça vous survolte, mon vieux.

Je pose délicatement ma dextre parfois manucurée sur son avant-bras d'ébène.

— Dis voir, Sublime. T'as jamais lu les z'œuvres de ton président-poète, M. Senghor, de l'Académie française ?

— Je les sais par cœur.

— Bravo. Alors, revenons à l'oncle Tom.

Il caresse, du bout de ses longs doigts les Ray-Ban qui lui servent à se moucher.

— T'es un cas, mon vieux, murmure-t-il, franchement t'es un cas. Mais je t'aime bien tout de même. Donc, dix ans de la vie de tonton (65-75). Le bougre a écrit ce fameux testament en 74, tu me suis ?

— Il m'arrive même de te précéder.

— Si en 74 il s'estimait en danger de mort, c'est que la chose susceptible de motiver son assassinat s'était produite peu de temps auparavant.

— Pourquoi ?

Regard flétrisseur de ma gloire sénégalaise.

— S'il s'était écoulé des années, il se serait cru hors de danger et n'aurait pas évoqué cette éventualité.

— On l'a cependant buté plus de douze ans plus tard.

— Juste. Mais c'est ça le mystère. Lui, il devait craindre pour très vite parce que des éléments s'étaient produits qui l'amenaient à le penser.

— Je te fais mes compliments, Jérémie.

— Pour mes déductions ?

— Non, pour ton vocabulaire. Tu t'exprimes de jour en jour avec plus d'aisance, de recherche. Bref, tu te cultives.

— Dis, je lis comme une vache, mon vieux ! Une

grande partie de mes nuits. Et j'ai toujours un *book* à portée de main dans la journée.

Il met la dextre à sa poche arrière et extrait de son jean un opuscule froissé dû à la Maison Garnier que je salue au passage : *Mithridate,* de Jean Racine.

— La preuve, fait-il.

— Chapeau.

— Y a que les classiques, déclare-t-il, tout le reste est littérature !

Ramadé demande quelque chose en dialecte de son pays. M. Blanc traduit à m'man.

— Ma chère épouse souhaiterait de la graisse de chameau, dit-il, mais bien entendu vous n'en avez pas ?

Dénégation éperdue de ma Féloche.

Traduction inverse de l'époux. Puis réponse du cordon-bleu.

— Elle dit que de la cire à parquet devrait pouvoir remplacer la graisse de chameau en ajoutant du vinaigre.

Ces questions culinaires étant réglées, nous entrons sérieusement dans le vif du sujet.

— En vertu de mon sentiment quant à la date de l'événement, reprend Jérémie, je me suis attaché particulièrement aux petits faits signalés par ta tante et qui se sont produits de 72 à 75.

— Tu tiens vraiment à limiter « la chose » à cette marge temporelle de 3 ans ?

— Je le sens, avoue-t-il, penaud après un instant d'indécision.

— C'est la meilleure des réponses, grand. Car ce boulot où tu t'engages repose avant tout sur le flair, tu viens d'en avoir la preuve avec cette affaire des faux égoutiers.

Il se penche sur le feuillet.

— 18 décembre 1972, Thomas Dugadin est hospitalisé à Chambéry pour une occlusion intestinale.

Au début, tante Mathilde est alarmée, redoutant pour lui un cancer ; mais très vite, les investigations prouvent qu'il n'en est rien. On parvient à faire chier le vieux et trois jours après il est de retour dans sa ferme.

« 23 juillet 1973, il a un léger accident de mobylette. Sur la nationale : il est renversé par une grosse bagnole américaine. Bilan : un poignet foulé, des ecchymoses au visage, mais son engin est sérieusement endommagé. Le conducteur de l'auto, un étranger, s'arrange à l'amiable avec tonton et lui remet 5 000 francs pour qu'il se fasse soigner et s'achète une nouvelle pétrolette. Tonton se contentera de faire réparer le bolide et consultera un rebouteux des environs. Il placera les 5 000 francs en bons du Trésor. »

Jérémie s'arrête pour reprendre souffle. Il hume le fumet qui s'échappe de la marmite dans laquelle sa Ramadé vient de balancer les piments.

— Ça sent bon, hein ? exulte-t-il, vous allez vous régaler, madame Maman ! Seigneur, on se croirait presque chez nous ! (Puis, revenant à son cahier :) Enfin, le 14 septembre de la même année, il assiste à un accident d'hélicoptère. Alors qu'il travaille dans son champ, son attention est attirée par le vacarme d'un giravion volant à basse altitude. Soudain, il voit l'appareil se diriger tout droit sur les câbles d'une ligne à haute tension qui enjambe le panorama. Il semble que le pilote ne l'ait pas aperçue. Les pales touchent les fils. L'appareil explose, des corps voltigent de-ci, de-là. Affolé, tonton court sur les lieux du sinistre. Il ne trouve que des débris fumants et trois cadavres noircis par la formidable décharge électrique. Il va donner l'alarme. Les gendarmes arrivent. On enregistre son témoignage.

M. Blanc se racle la gargane.

— Ça me fait saliver, mon vieux, le bouffement

de ma chère épouse ! Il lui restait heureusement de la sauce noire qu'on appelle chez nous Oksékaka. T'en mets dans un plat, mon vieux, et ça parfume toute la rue !

— Je vois, dis-je. Y a déjà des voisins qui se rassemblent devant notre maison croyant qu'on vient de mettre à jour un charnier. Quand vous bricolez cette popote dans votre appartement, t'as pas le service d'hygiène ou les pompiers qui grimpent aux nouvelles, des fois ?

Jérémie hausse les épaules.

— T'es chié, toi, mon vieux. Le besoin de tout moquer, merde. Pourtant Mme Maman paraît si gentille ! Tu ne tiens pas d'elle, hein ?

— Hélas non, reconnais-je, je tiens de moi.

— T'as pas de chance, quoi. Bien, voilà c'est tout pour tonton. Juste après cet accident d'hélicoptère, ta tante Mathilde est tombée malade. Elle, c'était bien un cancer. Mais elle était courageuse et endurait le mal sans trop se plaindre, d'autant — ça se devine dans ses dernières lettres —, que le vieux singe ne la dorlotait point. Quand elle est allée chez le médecin, c'était trop tard. On l'a opérée en catastrophe et elle est morte au début de janvier 74. Voilà.

Ma Félicie se détourne afin de cacher ses larmes. Je me lève pour aller la prendre dans mes bras. On a nos morts, entre nous : papa, tante Mathilde, mémé, d'autres, qui nous étaient moins proches, mais dont l'évocation nous fait un peu saigner l'âme. Si on n'arrosait pas de temps à autre leur souvenir de nos larmes, ça servirait à quoi de vivre, tu peux répondre à ça ?

Jérémie, tout affligé du brin de chagrin qu'il vient de planter, nous rejoint. Sa grosse patte se pose sur l'épaule de Félicie.

— J' suis navré, madame Maman, balbutie-t-il.

Un grand crétin de nègre, vous voyez comme c'est maladroit !

— Mais non, mais non ! proteste ma vieille d'amour.

Elle embrasse Jérémie. C'est lui qui a les yeux rouges maintenant. Allons bon !

Pour changer, Ramadé rote un grand coup. Un peu moins fort que ne le fait Béru, mais pour une dame c'est pas mal, franchement.

La portée des Blanc, à table, c'est du spectacle. Faut les voir bâfrer la ragadasse à leur *mother,* les petits gueux !

Toinet, lui, s'embarrasse pas de périphrases. Reniflant son assiette au milieu de laquelle s'étale une matière d'apparence excrémentielle, il déclare :

— Moi, bouffer ça, je pourrais jamais. Je veux bien essayer avec de la vraie merde pour prouver ma bonne volonté, mais un machin pareil, je vous jure, faut venir d'ailleurs pour se le taper !

— Toinet ! morigène m'man, scandalisée. Comment oses-tu ! Mme Blanc qui a mis tout son cœur dans la confection de ce plat.

Le garnement acquiesce.

— O.K. ! O.K. ! maman Félicie, alors montre-moi comme tu le dégustes, toi ! Allez, vas-y, on te regarde !

Pauvre chère Féloche. Ma tendresse de toujours, de pour toujours ! Je sais que cet instant prend déjà sa place dans les souvenirs cocasses de la famille. La voici à la tâche, ma vieille dearlinge, donc à l'honneur. A l'horreur, aussi ! Elle cueille une fourchetée de « la chose » cuite par Ramadé, la porte à sa bouche. Qu'aussitôt, ses bons yeux de constante compassion s'emplissent de larmes, m'man. Tant si tellement c'est fort, cette sauvagerie-là ! Très abominable au plus haut point. Agressif, corrosif, décapant. Lampe à souder qu'on s'enquille dans la margoule ! Stoïque, elle mâche, ma bravette. Un coup, deux coups, juste pour pouvoir avaler. Oh ! hisse ! Voilà, c'est parti. Mais ça continue sa dévastation plus loin. Ça arrache notre pauvre chair européenne.

Contents, les Blanc se mettent à claper de bon appétit.

Ramadé consulte son julot d'un regard anxieux. Est-ce que c'est'y réussi ? Il répond qu'oui. Oh ! bien sûr, il manque la graisse de chameau, que veux-tu. Mais en rajoutant une poignée de piments, on l'oublie.

C'est à la troisième bouchée que m'man doit déclarer forfait, pour l'indicible triomphe de Toinet. Et le traître de s'écrier :

— T'aurais dû faire comme l'Antoine, m'man Félicie. Lui il a un sac en papier sur les genoux et il y fout cette saleté après avoir fait semblant de la mettre dans sa bouche !

N'empêche qu'on passe une bonne soirée.

C'est l'heure où, de l'autre côté de l'Atlantique, le sergent Springer de Calamitybeach dépose sur le bureau de son chef le fourreau d'une canne-épée que la marée a rejetée sur les galets.

Frère,
regarde ta queue qui pend ! (1)

L'infirmière-cheftaine est une dame qui commence à avoir des heures de vol ; pas mal, merci, et toi ? La retraite en point de mire. Un petit sprint et, ouf ! elle l'atteint. Le genre grande creuse avec un début de cyphose consécutif à son métier qui la tient sans cesse courbée sur la misère d'autrui. Des rides partent de sa bouche, d'autres de ses yeux, ce qui compose trois espèces de petits soleils marrants dans sa face pâle. Elle potasse ses *books,* le nez chaussé de lunettes à monture de fer.

— Vous m'en demandez ! fait-elle, vous m'en demandez vraiment, messieurs !

Elle a un bon accent de tiroir (ou de terroir comme disent certains).

— Dix-huit décembre soixante-douze, réitère l'inspecteur Blanc.

— Ça y est, je le tiens. Dugadin, dites-vous ? Dugadin Thomas ?

— Affirmatif ! répond mon pote le bronzé avec une importance de chef de guerre prêt à déclencher la merde sur le champ de bataille.

(1) A la mémoire de P.S.

La dame aux trois soleils rayonnants tapote de l'index une ligne écrite à l'encre.

— Il a été hospitalisé en chirurgie, dans une chambre de quatre lits, la 14.

— Il est indispensable que nous sachions l'identité de ses compagnons, madame, déclare Jérémie avec péremption (le mot péremption dont je prends la racine dans péremptoire, adjectif du 2e groupe, n'existait pas encore à ce jour, mais, ouf ! le voilà).

Elle soulève sa tête, ses lunettes et le bas de sa blouse.

— Hou ! la la ! Vous m'en demandez ! Vous m'en demandez ! Dites, ça fait une quinzaine d'années de passées !

Moi, en toute sincérité, je le trouve parfait, l'inspecteur Blanc. Il s'est payé un pantalon beige clair, un blouson vert, un polo bleu pastel. Tu jurerais un perroquet géant ! Son air grave, sa voix pondérée en imposent. Il paraît « blanchi » sous le harnois (de cajou) et chique les vieux routiers de la poulerie auxquels on ne la fait pas.

— On vous en demande parce qu'on en a besoin, chère madame, rétroque ce Blanc en négatif.

La phrase donne à réfléchir à l'infirmière-cheftaine. Au bout de quelques rangs de pensées tricotées à la va-vite, elle décroche son bigophone.

— Ici Germaine Pranduront, Fleur-de-Lumière est-elle de service, aujourd'hui ? Oui ? Alors envoyez-la-moi d'urgence dans mon bureau. (Elle raccroche.) Vous avez de la chance, nous dit-elle. Il s'agit d'une femme de service qui travaille ici depuis plus de vingt ans et qui possède une mémoire d'éléphant.

L'intéressée se pointe. Une Asiatique. Grande comme un pot à *tobacco*, le cheveu intensément noir coupé net au ras des portugaises.

Nous la saluons.

— Pourquoi surnommez-vous cette personne « Fleur-de-Lumière » ? questionne sévèrement Jérémie, prêt à entreprendre sa croisade contre le racisme, l'apôtre ; « Touche pas à mon prote ! »

Sans se démonter, la cheftaine répond :

— Parce que son vrai nom est Tû Lag Dân Lekû et que nous jugeons « Fleur-de-Lumière » plus facile à prononcer et plus seyant pour l'intéressée, dans nos contrées barbares.

Je ris sous cape. Acquiescement maussade de M. Blanc : le côté « soit, mais n'y revenez pas ».

— Ces messieurs sont de la police, fait l'infirmière-cheftaine. Ils ont des questions à vous poser concernant l'un de nos malades. Etant donné votre étonnante mémoire, vous allez peut-être pouvoir les aider. Je vous laisse.

Elle sort en emportant son début de bosse. Dans quinze ans elle sera à l'équerre, la mère.

— Asseyez-vous, mademoiselle Tû Lag Dân Lekû, invite Jérémie, cérémonieux, en soulevant son cul de sa chaise d'une sixaine de millimètres.

L'Asiate prend la place toute chaude de sa supérieure.

— Le dix-huit décembre mille neuf cent soixante-douze, on a hospitalisé dans le service de chirurgie, à la chambre quatorze, un vieux paysan nommé Thomas Dugadin, cela vous dit-il quelque chose ?

— Certainement, répond Miss Lajaunie.

On laisse filer un soupir de contentage, Jérémie et moi. Chère fille du pays des sampans et des coolies postaux, quel phénomène !

— Vous rappelez-vous l'identité de ses trois compagnons de chambrée, mademoiselle Vous Lavez Dân Lekû ? demande étourdiment mon enquêteur délégué.

Elle ne relève pas l'erreur, résignée qu'elle est aux

multiples combinaisons qu'offre son patronyme et affirme :

— Il n'y en avait qu'un seul, car, au moment des fêtes de fin d'année, les gens s'arrangent pour ne pas se laisser hospitaliser.

— Vous pourriez nous parler du malade en question ?

Elle a un sourire.

— D'autant plus facilement que ça n'était pas un malade ordinaire.

— C'est-à-dire ? coassé-je, malgré ma décision de ne pas intervenir directement dans l'enquête de mon « élève ».

— C'était un malfaiteur, assure « Fleur-de-Lumière ». Il avait pris une balle dans le ventre au cours d'un hol-up qu'il avait commis à Chambéry. Un gendarme restait de faction en permanence dans le couloir.

On se regarde ardemment, le noirpiot et ma pomme blafarde. Eh, dis, Bazu, aurions-nous mis la main dans le pot de confitures, d'entrée de jeu ? C'est stimulant un résultat pareil.

— Vous vous rappelez son identité, à ce malfrat ?

— Non, car son nom n'était pas inscrit sur la porte comme pour les autres malades.

— Qu'importe, fais-je, ce ne sera pas difficile à trouver. Rien de particulier à signaler concernant le truand ?

— Il est mort le surlendemain de son opération, d'une hémorragie interne.

— Merci, mademoiselle Je Te Foû Dan Lekû, dit le mâchuré en se dressant. Votre aide nous aura été précieux.

— Précieuse, rectifié-je. Puisqu'on se dit tout, Jérémie, sache que « aide » est féminin.

— Merci de la leçon, mais ne me fais pas trop chier devant des tiers, riposte l'ingrat.

— Ça y est, j'ai trouvé ! m'exclamé-je dans ce petit bureau appartenant au *Dauphiné Libéré* où l'on conserve la collection complète du journal, depuis le numéro spécial consacré à la bataille de Bouvines jusqu'à l'édition de demain matin.

Ça se trouve à la première page du numéro daté du 16 décembre 1972 : « Scène de western dans le centre de Chambéry. » Ça, c'est le titre. Il est superbe. Le sous-titre précise : « Un dangereux repris de justice attaque une bijouterie de la rue du Caquelon. Il tue le bijoutier avant d'être grièvement blessé par un gardien de la paix. »

Les gars de l'agence, très coopératifs, me tirent une photocopie de l'article et de la photo montrant l'agresseur sur une civière. Un certain Xavier Lagrosse, connu dans le milieu lyonnais sous le sobriquet (il n'y a pas de sots briquets, il n'y a que de sottes gens) de « Petit Mulet ». Le malfaiteur venait de quitter la prison Saint-Paul après y avoir purgé une peine de quatre ans pour attaque à main armée.

Une fois dans les rues, on cherche un petit restau sympa pour claper. En passant devant la fontaine des quatre-sans-cul (ainsi nommée parce qu'elle se compose d'une splendide sculpture représentant quatre éléphants privés de leur train arrière), Jérémie s'arrête, rêveur. Je lui récite de l'Hérédia, histoire de souligner son coup de langueur :

— « Les éléphants poudreux, voyageurs lents et rudes

« Vont au pays natal à travers les déserts. »

Il réagit, soupire. Puis, me mettant la main sur l'épaule :

— La voilà peut-être, notre piste, non ?

— Pas sûr. Garde-toi de tout emballement, mon frère aux paumes claires.

— Enfin merde, on découvre que tonton a passé plusieurs jours avec un dangereux truand, c'est pas du miel de Savoie, ça ?

— Continue ton idée.

— On peut supposer que, se sentant à l'agonie, il ait confié un secret juteux à l'oncle Tom. Par la suite, des complices...

— Tu mets à côté de la plaque, fiston. Ce type venait de tirer quatre piges de bigntz. S'il avait eu un trésor planqué, il aurait couru le déterrer à sa sortie au lieu de venir jouer Fort Alamo chez un bijoutier d'ici !

M. Blanc est trop doué en flicaillerie pour ne pas réaliser le bien-fondé de cet argument. Il demeure silencieux, comptant les trompes des quatre moitiés d'éléphants (qui ne se sont jamais vus, disposés comme ils le sont, les pauvres !).

— Il n'empêche que je trouve troublant ce voisinage du vieux avec un malfrat, non ? Quand on sait de quelle façon il a fini ses jours...

L'après-midinche, on s'occupe de la seconde rubrique du programme que Jérémie a tracé, à savoir ce léger accident de Solex à la faveur duquel l'oncle Tom a récolté quelques bleus et cinq mille francs 1973 d'un voyageur pressé et généreux.

Là, on barbote dans l'évasif, la chose n'ayant été enregistrée nulle part. Mais l'inspecteur Blanc a tout de même sa petite idée, que je trouve valable. Aussi nous présentons-nous chez le marchand (et réparateur) de cycles de Saint-Joice-en-Valdingue. T'attends pas aux défunts Etablissements Manufrance. Le père Salcons, son entreprise tient dans un hangar de modestes dimensions jouxtant sa maisonnette. Un atelier ultra-cradingue où les araignées se paient du bon temps, et puis, sous cet atelier, un box de quatre mètres sur trois où sont entreposés quelques vélos et pétrolettes neufs mais poussiéreux que les chiares du village viennent admirer au sortir de l'école.

Le bonhomme, franchement, il doit être aussi vieux que l'était tonton au moment de clamser. C'est un gros mec tout de bleu habillé, mais le cambouis forme une espèce de carapace sur ses hardes de travailleur et tu dirais quelque énorme scarabée pour film d'horreur ou de science-friction. Des touffes de poils blancs jaillissent du col de sa chemise. Il a un gros tarbouif veiné, chaussé de lunettes rafistolées aux verres épais ; sa casquette avachie lui dégouline de la tronche comme une bouse de vache fraîche.

Au moment qu'on se pointe, il est occupé à changer les rayons d'une roue voilée. Sa vue l'est davantage encore, si bien que son blair de sanglier touche la jante tel un phénoménal patin de frein.

— Ces messieurs ? il nous lance après un coup d'œil en chanfrein.

Je lui déballe les tartinettes habituelles : « Navrés de vous déranger, monsieur Salcons, nous appartenons à la police et nous sommes à la recherche de renseignements que vous seriez peut-être à même de nous fournir. Ouf ! »

Il cesse de rayonner et se redresse.

— Lui aussi, il est policier ? demande-t-il en désignant M. Blanc à l'aide du chiffon ruisselant d'huile avec lequel il croit se nettoyer les pognes.

— Oui, pourquoi, ça ne vous paraît pas conforme ? égosille Jérémie.

— J'ai pas dit ça, mon gars, assure le vieux, seulement, dans nos contrées, on voit pas beaucoup de flics noirs, d'où mon étonnement. Alors, qu'y a-t-il pour votre service ?

Lui, faut que je me l'empoigne moi-même. Pas qu'il soit forcément raciste, le marchand de deux-roues, mais il l'avoue « il n'a pas l'habitude » des *colored men.*

Je commence par lui dire qu'on est chargés d'élucider le mystère concernant la mort du père Dugadin. Alors là, je l'intéresse. Sa voix s'enroue. C'était son pote, Thomas, à Léonce Salcons. Ils étaient conscrits. La communale, engagés volontaires en 17 pour nous gagner la guerre ; sans causer des gueuses qu'ils allaient caramboler de concert dans les cabanes à outils des vignes accrochées à flanc de coteau. De belles luronnes avec des culs comme des lessiveuses. Si je vous disais ! Juste elles exigeaient le saut de carpe ultime, pas se faire enceinter en ces temps sans pilules. Son copain Thomas, s'il tenait le misérable qui a fait ça, vous savez quoi, mes bons messieurs ? Il lui carre dans le fion le bec de son gonfleur électrique et lui fout cinq ou six kilos de pression dans la boyasse, manière de lui faire éclater les tripes, à ce fumier ! Si de hasard on lui mettait la main au collet, ça nous contrarierait-il de repasser chez Salcons avec le type pour assister au spectacle ?

On promet. C'est entendu, on viendra le faire déguiser en montgolfière, le gredin abject, seulement, auparavant, s'agit de l'alpaguer. Et si le papa Salcons voulait bien nous aider...

Lui, il est partant à bloc, seulement il voit mal de quelle manière il peut coopérer avec nous autres. Ce crime atroce, il l'a appris avec tout le village. N'a rien vu, rien entendu, les gars ! Il vit seul à réparer les péteuses et les vélos. Sa pauvre femme est morte depuis six ans et sa fille unique, l'Adélaïde, est plus ou moins dans la putasserie à Grenoble, collée bassement avec un bicot.

— Je viens vous consulter pour une autre affaire déjà ancienne, monsieur Salcons, et qui n'a pas laissé de trace. Vous rappelez-vous cet accident qu'à eu le brave Thomas, en 73 ? Son vélomoteur en miettes et lui des ecchymoses plein la figure ?

— Pour sûr ! Il a insisté mordicus pour que je répare son Solex. J'avais beau lui dire qu'il aurait intérêt à s'en racheter un neuf, déjà rincé comme il se trouvait avant l'accident. Bernique ! Thomas : une vraie bourrique, les gars ! Tu pouvais lui chanter *la Marseillaise* en breton, quand une idée le tenait il n'en démordait pas. Ça lui a coûté cinq cents francs, prix d'ami, qu'il n'a jamais fini de payer, ce sale rapiat qu'aurait mangé sa merde.

— Monsieur Salcons, Thomas vous a-t-il raconté ses tractations avec l'automobiliste qui l'avait renversé ?

— Oui, il m'a dit qu'ils s'étaient arrangés à l'amiable, les deux. Le gars en question, c'était un étranger ; alors les problèmes d'assurance risquaient de traîner. Il a préféré remettre de la main à la main un dédommagement à mon ami.

— Vous connaissez la somme ?

— Deux cent cinquante balles, a prétendu Dugadin. Je lui ai dit qu'il s'était laissé niquer comme un bleu, vu que jamais ça lui rembourserait sa pétrolette. Les écorchures au visage, ça guérit tout seul, mais pas les avaries d'un deux-roues. Voilà pourquoi je n'ai pas trop râlé pour le reliquat de facture impayée.

Vieux gredin d'oncle Tom ! C'est signé ! Y a fallu qu'il exploite son vieux pote de toujours.

Jérémie sifflote ironiquement, tout en me roulant des œillades larges comme le sigle du drapeau olympique.

Moi, tu vois, je te le serine à tout bout de champ, mais je sens quand quelque chose va se produire. Comme si mon subconscient avait déjà lu le message longtemps avant et que, poum ! les choses enregistrées par lui s'annoncent dans ma pensée quelques morceaux d'instant avant leur accomplissement. C'est comme un signal. Une sorte de pâleur intense à l'intérieur de moi, ponctuée d'un bruit silencieux. Un bruit dont je ne percevrais que les vibrations, sans l'entendre réellement. Mon cervelet se branche dans la prise Salcons.

— Oui ? je lui murmure intensément. Oui ?

Pour l'aider, qu'il déballe sans douleur. Et il y va recta, l'ancêtre, son subconscient assujetti à ma volonté.

— Quand il est venu chercher son Solex, il a poussé des cris à cause de ma note. Il m'a donné les deux cent cinquante francs en égosillant qu'il me faudrait attendre pour le solde. Juste il venait de payer l'impôt et il restait sec. Je ne l'ai pas trop cru ; Thomas, son bas de laine, je l'aurais bien changé contre le mien, sans savoir.

— Ensuite, monsieur Salcons ?

Je le presse, en prenant la voix du jeune et tendre confesseur qu'une pénitente salope vient perturber en plein sacerdoce avec ses jongleries d'alcôve.

— Pour lors, je lui dis comme ça : « Dommage que t'aies pas pris le nom de ton bonhomme, t'aurais pu lui écrire pour lui dire que les frais sont plus forts que ce qu'il t'a donné ; et même que tu as des conséquences physiques graves, tout ça ! » Ah ! mes gars, vous l'auriez vu s'allumer, ce sacré Thomas ! Je venais de lui ouvrir des perspectives qu'il avait pas songées. « Mais c'est bien sûr ! qu'il ronchonnait. Ça, t'as raison, Léonce. » Et voilà qu'il ajoute : « Son nom, d'accord, je le sais pas, mais j'ai retenu le numéro de sa plaque minéralogique. Du temps qu'il me causait, ajoute Dugadin, je la regardais et me la récitais, et maintenant je la sais par cœur. Tu crois que même une plaque étrangère on peut retrouver le proprio de l'auto ? » « Naturellement, vieille noix. » « Pour commencer, il me fait, c'était une plaque blanche, avec les numéros en noir dessus. En haut, y avait des écussons, un à gauche, un à droite. Çui de gauche représentait le drapeau suisse, çui de droite était blanc et bleu. Le numéro, je te le marque... »

Le miraculeux Léonce Salcons me biche par une aile et m'entraîne dans le box « d'exposition ». Au mur est scellée une console supportant le téléphone et pourvue d'un tiroir.

— Figurez-vous que ce sagouin a écrit contre le mur, comme s'il s'était agi d'une inscription de pissotière. Tenez, on voit encore !

Quand je te le disais que je prévoyais quelque chose ! Il a reproduit de mémoire toute la plaque, tonton. Une plaque suisse du canton de Zurich. Mais une plaque pour étranger qui se finit par un gros « Z » avec l'année « 1973 » écrite en blanc dans un petit rectangle rouge placé verticalement avant le « Z ».

Cher Léonce Salcons ! Oh ! digne vieillard, orgueil de cette merveilleuse Savoie qu'on a eu bien raison d'annexer, merde ! « Leurs cœurs allant où coulaient leurs rivières », ces chéris !

— Pourquoi a-t-il reproduit la plaque sur votre mur, monsieur Salcons ?

— Vous pensez que je ne l'ai pas vu faire ! Juste le petit Coindet, le fils à Jules Coindet, de la Barbonnière, le grand boiteux qu'est marié à une Rivière de Bonprantoux, est venu chercher son vélo dont j'avais rebrasé la fourche. Le temps de rejoindre mon salopiot de Thomas, il m'avait fait ce cadeau au mur. « Faut pas te gêner ! je l'ai engueulé, ma parole tu m'écrirais aussi bien sur les fesses ! »

« Il s'est excusé, continue le vieux mécano. Et puis il m'a demandé que je veule bien faire les recherches pour lui, comme quoi les écritures, les coups de téléphone, tout ça, c'était pas sa partie.

« Je te dédommagerai, Léonce. » Mon œil ! Les communications, elles ont été pour mes pieds. »

— Car vous avez fait les recherches qu'il réclamait ?

— Pas moi, l'Adélaïde, ma fille qui faisait serveuse dans un café de Montmélian à l'époque. Elle se trouvait ici avec deux jours de congé et, comme c'est une débrouillarde, je lui ai demandé de s'occuper de la petite affaire à Thomas. Ça m'a coûté un saladier en téléphone et ce vieux ladre n'a jamais voulu me rembourser sous prétexte que ça n'a rien donné.

— Votre fille avait obtenu les coordonnées du type à la voiture américaine ?

— Bien sûr. Démerdarde comme Adélaïde, vous pouvez courir ! Elle est même allée à bicyclette porter le renseignement à Dugadin. Pour tout remerciement, il lui a foutu la main aux fesses, ce vieux dégoûtant. Parce que, lui, tout ce qui bronchait, il sautait dessus ! Le bruit courait que sa chèvre passait à la casserole plus souvent que sa femme ! (Il rit.) Enfin, dit-il, mourir de cette façon, le Bon Dieu doit vous accorder la remise de vos péchés, tels que je Le connais.

— Elle vous les a montrés, à vous, les résultats de ses démarches, Adélaïde ?

— Pourquoi fiche ? C'était point mon affaire !

Il sort de sa poche le chiftir huileux auquel il essuie ses pattounes cambouiseuses et l'utilise cette fois pour torcher son front en sueur.

M. Blanc a naturellement noté le numéro de la plaque ornant le mur immaculé du marchand (et réparateur) de vélocipèdes. Il exulte intérieurement, le brave garçon. Me brandit dans le dos du gros vieux mec son énorme pouce de noirpiot surmembré.

On en découvre des choses. Et mon pote Bavochard qui ne sait même pas que nous sommes à pied d'œuvre ! Il nous attend toujours, l'écluseur de mominettes !

Simulacre... six mulatres...
six mille acres... six mules acres
et un aborigène arboricole !

La propriété accaparait toute la colline. Au pied de celle-ci, une haute barrière électrifiée, elle-même sommée de quatre fils barbelés clôturait l'ensemble. Venait ensuite une espèce de *no man's land* planté d'arbustes épineux, où erraient en permanence une douzaine de dingos féroces, ces chiens sauvages d'Australie que deux dresseurs spécialisés seulement avaient le pouvoir de neutraliser. Puis il y avait un mur ordinaire, crépi de chaux blanche qui scintillait au soleil. A l'intérieur de cette seconde enceinte s'étalait la propriété de « l'homme en noir ». Un vaste jardin tropical parcouru par un ruisseau artificiel, un tennis, et une très vaste et très belle construction à un seul étage, couverte de tuiles romaines aux tons pain-brûlé. La maison, de style andalou, comprenait plusieurs patios, et quatre ailes qui lui donnaient la forme de deux « U » accolés. Une vaste piscine au revêtement de marbre occupait tout l'arrière.

L'homme était en train d'admirer sa collection de monnaies anciennes lorsque l'interphone jeta son signal modulé. Il appuya sur la touche du récepteur. Une voix de femme susurra :

— Stephen Black vient d'arriver, monsieur.

— Qu'on l'introduise ! répondit l'homme.

Il pressa un bouton placé sous son bureau. L'épais plateau du meuble coulissait et sa chère collection se trouvait dans le cœur dudit plateau, chacune des pièces occupant un petit logement carré, à son module, aménagé au sein du bois. Son sous-main et différentes paperasses posées sur la partie amovible du plateau se rapprochèrent rapidement de l'homme. Le bureau avait retrouvé son aspect normal lorsqu'on sonna à sa porte.

Le timbre était à la fois grave et léger, feutré mais très présent. Une nouvelle touche pressée accorda aux arrivants l'autorisation d'entrer, en même temps qu'elle libérait l'ouverture de la double porte.

Une jeune Asiatique, pareille à celles qu'on peut admirer sur les gravures chinoises (yeux en amande, teint de pêche, lèvres sensuelles au rouge délicat, vêtue d'une robe de soie chamarrée) escortait un type grand, à gueule d'acteur pour film d'action. Stephen Black était d'un blond intense, il avait les cheveux bouclés serré comme les effigies sur les monnaies grecques anciennes, avec des yeux noirs atteints d'un léger strabisme convergent. La première impression était plutôt flatteuse, mais quand on s'attardait à l'examiner, on finissait par être incommodé par l'expression de dureté délibérée marquant son mâle visage. Il avait des mains menues pour sa taille et s'appliquait sans cesse à les dissimuler, comme d'autres dérobent leur regard. Son complet prince-de-Galles beige, bien coupé, avait dû lui coûter dans les mille dollars. L'homme en noir nota qu'aucune boursouflure insolite ne le déformait dans la région de la poitrine. D'ailleurs, un détecteur placé dans le porche d'entrée aurait signalé la présence d'une arme.

La Chinoise murmura :

— Voici M. Black.

Puis elle se retira.

L'homme noir regarda posément l'arrivant à travers les verres teintés de ses lunettes, puis il articula de sa voix lente, un peu chantante :

— Asseyez-vous !

Aucune formule de bienvenue, voire de simple politesse. Pour lui, c'eût été du temps perdu.

Stephen Black avait le choix entre trois chaises disposées en arc de cercle face au bureau. Il opta pour celle du milieu, croisa les jambes, noua ses mains sur le genou supérieur et attendit. Calquant son comportement sur celui de son vis-à-vis, il ne l'avait même pas salué, ce dont l'autre lui sut gré.

Le maître des lieux demanda :

— Vous parlez français ?

— Pas suffisamment bien pour traduire Flaubert en anglais, mais assez pour me commander des steacks-frites dans les restaurants de Paris, répondit l'arrivant en français.

Il avait un accent, mais très léger ; l'homme aux lunettes teintées se dit que ce n'était pas l'accent américain, cela faisait plutôt Europe centrale.

— Parfait, approuva-t-il, également en français.

Et, tout naturellement, la conversation se poursuivit dans cette langue. Il ne s'agissait plus d'un test, non plus que d'un exercice d'entraînement, plutôt d'une espèce de confuse rivalité, chacun des deux hommes voulant s'assurer qu'il maniait mieux que son interlocuteur la langue de Montaigne.

— Je ne sais de vous que ce qu'on m'en a dit, prévint l'homme en noir.

Stephen Black eut un pâle sourire :

— Ravi de voir que ç'a été suffisant pour que vous me convoquiez.

Ils s'observèrent rudement, hardiment, comme s'ils entendaient se défier, tels deux coqs prêts à se bondir contre.

— Je vous préviens que c'est une affaire délicate et surtout bizarre.

— Vous me mettez l'eau à la bouche.

— Avant que vous n'interveniez, un garçon en qui j'avais la plus grande confiance s'y est cassé les dents.

— Les dents et le reste, fit Black.

Son interlocuteur tressaillit.

— Qu'entendez-vous par là ?

— Je crois savoir que l'homme auquel vous faites allusion est mort de quelques coups de canne-épée. On a repêché son corps dans la haie de Calamitybeach. A ce propos, j'ai dans le coffre de ma voiture le fourreau de la canne-épée en question ; si vous voulez bien charger quelqu'un d'aller le chercher, cela me ferait plaisir de vous l'offrir, histoire de vous remercier d'avoir fait appel à moi. La clé du coffre est sur la serrure, monsieur Silvertown.

L'amateur de monnaies anciennes ressentit un sentiment désagréable : celui d'être dominé. La chose ne se produisait jamais. C'était toujours lui qui faisait peser son autorité et prenait l'ascendant sur les autres. Un second sentiment succéda au premier qui était un sentiment de crainte. Il convoquait un type dont la réputation d'efficacité s'étendait dans les milieux du crime, cherchait d'emblée à l'impressionner, et voici que l'autre déballait froidement le cadavre qu'il gardait dans son placard.

— Quel genre d'homme êtes-vous, Black ? demanda Silvertown.

L'interpellé haussa les épaules.

— Un homme qui se fait bien payer et qui n'oublie pas de mettre des bottes quand il va dans un marécage.

— D'où sort le fourreau auquel vous faites allusion ?

— Du bureau de police de Calamitybeach. A vrai

dire, il n'a pas été difficile de l'y récupérer ; il a suffi d'un peu de culot.

— Et ce... cadeau représente quoi dans votre esprit ?

— Une façon de vous dissuader de discuter mes conditions, monsieur Silvertown.

— Quelles sont-elles ?

— Cent mille dollars lorsqu'il n'y a pas de sang, cinq cent mille lorsqu'il y en a. Payable d'avance. Plus mes frais en cas de lointains déplacements, bien entendu.

— C'est très élevé ! sursauta Silvertown.

— Très, convint son visiteur : je suis la Rolls des hommes de main.

— Et en cas d'échec ?

— Je travaille pour réussir, non pour échouer. Si je n'arrive pas à donner satisfaction, c'est vraiment qu'il était impossible de réussir, auquel cas ça ne modifie rien aux conditions. Simplement, je refuse les rendez-vous nocturnes sur le ponton de Calamitybeach.

— Supposons que je trouve votre prix trop élevé ?

— C'est une supposition qui ne me viendrait même pas à l'esprit et à vous non plus maintenant que nous sommes réunis dans ce bureau.

Silvertown appuya de l'index sur la monture de ses lunettes comme si elles glissaient de son nez. Il était débordé par ce sale type. Jamais de sa vie aventureuse il n'avait affronté un requin de cette envergure. Il se promit de le tuer un jour de sa main ; mais plus tard, quand l'autre aurait rempli son contrat.

Louis X, le Hutin, a inventé la meilleure forme de divorce qui soit.

Il exagérait, papa Salcons, quand il nous prétendait que sa fille faisait la pute à Grenoble. Il est curieux de constater combien les pères, si indulgents de nature, font montre de mauvais esprit lorsque leur grande fifille se maque avec un gonzier qui ne leur revient pas. Tout bonnement, elle tient un bistrot un tantisoit louche, Adélaïde. Quelques dames radeuses à la jupe un peu trop courte et trop fendue viennent y consommer entre deux passes ; mais question de mettre la chatte à la pâte, faut plus y compter, Ninette ! Elle est en préretraite, au plan de la moule farceuse, l'héritière des cycles Salcons. Une gaillarde carrée, sans cou, qui n'a pas vu un coiffeur depuis qu'elle est allée fêter les noces d'or de ses parents. Elle souffle comme le gonfleur pneumatique de son dabe en trimbalant une poitrine de chez Olida qui doit faire peut-être les délices, voir les orgues, de son Nordaf, mais qui n'est plus monnayable qu'auprès de certains amateurs en voie d'extinction. De nos jours de cuisine moderne, la tripe à la mode ne fait plus florès (et n'est donc plus à la mode). J'en causais l'autre soir avec Maurice Rheims, qui me disait comme quoi lors de sa dernière vente à Drouot, un tanagra double n'est parti que parce qu'on lui ajoutait un Mayol en prime, et encore il n'a pas crevé le plaftard !

Pour t'en revenir à Adélaïde, c'est de la bonne vachasse recyclée (dirait son vieux) au rade après avoir traîné ses grosses miches cochères dans des bals et des hôtels à trois francs six sous. Haute en gueule ! On l'entend vociférer depuis le trottoir. Elle en crache contre un peigne-cul malodorant qui inflige ses effluves au bar sous prétexte d'un petit blanc limé. Qu'il aille se faire limer lui-même, l'apôtre, mais qu'il dégage vite fait ! Elles n'en peuvent plus les narines du *Café des Cimes* de respirer pareille abomination.

L'autre proteste que merde-faites-pas-chier, c'est pas donné à tout le monde de sentir la violette comme Marie-en-Toilette, la femme à Louis XVI. Il se lave le fion, les pattounes, le chauve à col roulé tous les matins, ou presque, qu'est-ce qu'on peut lui exiger de mieux ?

On arrive en plein mitan de sa plaidoirie. Il précise que cette odeur qu'il traîne, ça vient de ce qu'il était rouquin avant d'être chauve. Il sent l'homme, quoi ! Si elles ne savent pas de quoi il s'agite c'est qu'elles bouffent du gigot à l'ail, ces dames ! Mais l'Adélaïde l'interrompt :

— Barka !

Attiré par le mot, son julot radine des profondeurs. Un teigneux à moustache turque, chemisette verte hautement maghrébine. Un chouette ballon de rugby dans le bénoche, contracté au comptoir. Les méfaits du travail ! Chaque profession comporte ses risques. Même un grand écrivain comme moi n'est pas à l'abri d'un gros dico qui lui cherrait sur les pinceaux, le rendant indisponible pour la fécondation.

Il veut virer l'ami Tufouettes.

Qu'à cet instant, l'inspecteur Blanc intervient,

toujours partant pour défendre les minorités opprimées, cézigue. Ça risque de lui coûter sa carrière s'il s'emballe trop à jouer les Bayard. C'est bioutifoul, le courage, mais faut choisir ses causes. Pas rompre des lances hors de propos, que tu risques toujours encore de crever l'œil à Henri II (un roi qui en avait dans le buffet).

— Mande pardon, intervient Jérémie, l'odeur corporelle n'est pas un délit et ne justifie donc pas que vous chassiez monsieur (il désigne le père Fouetteur) de votre établissement.

Alors là, il l'a raide, le protecteur d'Adélaïde. Il égosille que de quoi se mêle-t-il ce chimpanzé ? S'il voudrait bien foutre la paix au monde et regrimper vite fait au sommet de son cocotier, ça dégagerait pour le service !

M. Blanc devient le plus pâle qu'il lui est permis par le Seigneur. Il riposte que c'est pas un enfoiré de melon de merde qui va le traiter de singe. Là-dessus, le taulier ouvre son tiroir-caisse et y prend un nerf de bœuf dont il frappe la paume de sa main gauche.

— Déguerpis, mouche à merde ou t'en prends plein les entrées de métro qui te servent de narines.

Faut le voir à l'œuvre, l'inspecteur Blanc ! D'une fulgurance, ma chère, que vous en souilleriez votre culotte ! Un geste, un seul pour s'emparer de la matraque. Il se met à jouer du xylophone avec sur les verres du comptoir. Ça fait do, ré, mi, fa, sol. Et c'est un Ricard, un café, un blanc-cassé, une Suze et un Orangina qui se répandent aux pieds de leurs verres brisés. Après quoi, Jérémie s'accoude au rade.

— Tu veux que je te montre ce que j'en fais, moi, de ce nerf de bœuf, gros mac ? Regarde !

Et tu sais quoi ? Non, tu peux pas savoir, ni deviner, ni même subodorer. *Il le mange !*

T'as lu ça, Dupaf, malgré que tu sois plus illettré

qu'une machine à calculer ? Il porte la matraque à sa bouche, dégage en grand sa panoplie 32 pièces et la plante dans ce qui fut somme toute de la barbaque sur pied. Rrrrâoum ! Il arrache un morcif gros comme mon pouce et se met à le mastiquer. Un coup de glotte pour expédier et le voici qui en reprend. Pour lors, ça devient puissamment attractif. Les putes présentes, le taulier et sa rombiasse, le client malodorant, tout le monde mate l'exploit, fasciné.

Blanc déguste sans quitter le taulier des yeux.

— Je pourrais aussi bien te bouffer, toi, gros con ! il assure au moustachu. On est anthropophages de père en fils dans notre famille.

Ayant dit, il lui balance ce qui reste de la matraque à travers la frite. Puis il sort sa brème de flic.

— Bon, on a suffisamment plaisanté : police ! C'est à vous, Adélaïde Salcons, que nous souhaitons parler ; venez un peu par ici.

Sans vergogne, il pousse la porte vitrée donnant sur l'arrière-salle et y entre, ne doutant pas une seconde que la grosse ne le suive. Ce qu'elle fait après un long regard de détresse à son copain. Mais Mohamed, lui, il rengracie sec. Ce grand Noir qui malmène sa verrerie, bouffe son nerf de bœuf et finit par déballer une carte de perdreau, ça l'expédie aux abysses. Le voici calmos. Allant jusqu'à servir au nauséabond son blanc limé avec des gestes d'automate.

Je suis la grosse et nous nous retrouvons dans une resserre pas des mieux tenue, où sont empilés des cartons de spiritueux.

Jérémie a glissé ses grosses paluches dans ses poches. Il examine une vieille affiche réclame vantant les mérites de la Suze et qui montre un mec aux bras noueux se faisant chier la bite à arracher du sol hermétique des racines de gentiane pour fabriquer ce nectar.

— Parle-lui, toi, me jette-t-il par-dessus l'épaule, son cosaque m'a agacé ! J'ai les nerfs en pelote. Peut-être bien que je vais lui faire avaler ses dents gâtées avant de partir, à cet Arbi de mes fesses !

— Allons, du calme ! interviens-je. Tu ne vas pas déclencher un conflit inter-africain ! Si le tiers-monde s'entre-déchire, ça va être la marrade de gala chez les Occidentaux et les mecs de l'Est !

Adélaïde, on sent que ce cirque la dépasse. Elle a pris l'habitude de s'écouter grossir derrière son rade, et ce genre de déferlement policier lui révulse la quiétude.

— Vous me voulez quoi donc ? demande-t-elle.

— Juste un effort de mémoire, ma poule, lui réponds-je. Il y a une petite quinzaine d'années, un jour votre cher papa vous a demandé un service pour l'un de ses amis. Il s'agissait de trouver l'identité et l'adresse de quelqu'un habitant la Suisse par le truchement de ses plaques de voiture. Vous vous souvenez ?

La vie, je te jure, c'est payant par moments. « Toujours l'inattendu arrive », a dit Machin, ou peut-être était-ce Chose ? Et comme il avait raison ! Je te prends notre venue à Grenoble, dans le troquet de la grosse. Elle n'avait pour mobile que de secouer la mémoire de la fille Salcons pour tenter de retrouver l'adresse du touriste pressé qui couvrit d'or le vieux Tom. Franchement, j'avais pas d'idée préconçue.

Et puis voilà que je suis stupéfié par le comportement de la marchande de blancs limés. Est-ce à cause du préambule bruyant ? Du numéro de music-hall interprété par Jérémie Blanc ? Voilà que ma question innocente lui tombe dessus comme la fusée

Ariane sur sa rampe de lancement après un petit bond dans l'espace.

Je pensais simplement la voir sourciller pour puiser dans ses souvenirs un renseignement plutôt badin, or, elle perd pied, la grosse. Et je pèse mes mots ! Tiens, regarde le cadran de la bascule : y en a pour cent kilos ! On dirait que je viens de lui balancer une horreur pur fruit, Adélaïde. De lui rappeler un événement vachement minant de sa vie. Elle fait de la sénescence instantanée. Des coliques frénétiques ! Elle biche des bubons partout. S'enfonce dans les angoisses.

Premier phénomène visible : sa pâleur. Tu croirais une banane verte, tellement elle est blanche ! Deuxième signe probant : son tremblement. Tout vibre en elle : ses lèvres, ses loloches, son ventre, la viande de ses cuisses ; à croire qu'elle se fait baiser en levrette par un type en train d'actionner conjointement un pic pneumatique. Les mots lui viennent pas. Son regard chavire. Elle a la gerbe. Chiche qu'elle dégueule sur mes Jourdan ! Il lui remonte des choses hâtivement ingérées. Elle tente de les contenir, de les domestiquer. En ravale une partie, mais doit entasser l'autre dans des wagons qu'elle accroche.

Moi, c'est comme si je venais de me filer une giclée de L.S.D. sur un sugar. Les murs s'écartent. Des visions surgissent. Y a des soleils partout, des nues enchanteresses, des petits amours grassouillets et des nymphes qui se grattent le trou du luth. La vache ! Ma petite question, c'est du courant à haute tension ! Je viens de la cueillir à froid. De lui porter sans le vouloir une estocade fatale. Olé !

Du temps s'écoule. Jérémie moule son pote de la Suze pour s'intéresser à la fille Salcons. Puis il me regarde. Un malin, ce noirpiot. Je trouve dans ses grosses prunelles tout ce qui tourbillonne dans mon ciboulоche. Pour Mémère c'est la cueillette à froid. Bon, elle dégueule, ce qui n'est pas grave, mais ce n'est pas là, je l'espère, le signe avant-coureur d'une crise cardiaque !

— Vous êtes malade, chère madame? m'inquiété-je d'un ton fuligineux.

— Ça doit être les poivrons farcis d'à midi, balbutie-t-elle. Je supporte pas les poivrons farcis.

— En ce cas, pourquoi en mangez-vous, ma petite biche ?

— Ben, oui... Ben, oui... Je sais. Je vais boire une petite Arquebuse de l'Ermitage.

Elle marche en direction du troquet. Avec sa grâce féline, Jérémie s'interpose. Il lui barre la route et approche son rire carnassier de sa jugulaire. La grosse se fout à claquer des chailles.

— On répond d'abord aux questions avant d'aller boire de la saloperie d'alcool ! déclare péremptoirement le Noir.

— Mais j'ai la nausée ! proteste la donzelle.

— Tu peux dégobiller, ça me gêne pas puisque c'est pas moi qui passerai la serpillière.

Obligeamment, j'avance sous son énorme fessier de cantinière l'unique chaise du local. Elle est branlante et dépaillée, mais madame s'obstrue néanmoins les orifices avec.

A ce moment, son vilain moustachu entrouvre la porte.

— Qu'est-ce que vous lui voulez? demande-t-il.

D'un coup de pompe dans le bas de la lourde, l'inspecteur Blanc propulse icelle dans le museau du « protecteur ».

L'autre lance :

— Vous n'avez pas le droit !

Alors Jérémie passe dans la partie troquet.

— Ça t'ennuierait de répéter ça, minable? demande-t-il d'une voix presque affable.

Moustache rabat son caquet.

— C'est vrai, ça. Qu'est-ce qu'elle a fait ?

— Je te le dirai dans dix minutes, promet-il.

Et il revient à nous.

— J'ai l'impression, chère petite dame, que vos vapeurs se tassent un peu et que vous allez ainsi pouvoir répondre à ma question, fais-je à la bistrotière.

Elle respire un grand coup.

— Je me rappelle plus de ce que vous me demandiez.

— Allons donc ! C'est ce qui vous a déclenché cette malencontreuse crise de foie ! Les poivrons farcis ne supportent pas des questions de ce genre. Bon, je vous écoute ?

Nouveau silence. Sa poitrine doit être duraille à charrier car elle la soutient de ses deux mains.

— Oui, vous me demandiez...

— C'est cela.

— Je... j'avais téléphoné en Suisse, à une copine qui travaillait dans un cabaret de Genève.

— Et après, mon enfant ?

— Elle... Ça n'avait rien donné.

— Ah ! non ?

— Non.

— Votre brave papa assure le contraire. Il prétend que vous êtes tellement démerdarde (c'est son expression) que vous aviez eu le tuyau rapidement et aviez poussé la complaisance jusqu'à l'aller porter au père Dugadin.

— Il doit se tromper.

— Non.

M. Blanc s'étire, bâille.

— Bon, il dit, on commence à se faire chier. Va falloir renvoyer les clients et fermer le bistrot. T'es d'accord, vieux ?

J'opine :

— Sage décision, inspecteur.

Mon pote retourne de nouveau dans la rade.

— Allez, on ferme ! annonce-t-il. Réglez vos consos et sortez tous, mesdames et monsieur.

Encore une fois, je te répète que ça bifurque un poil, notre enquête. Le nom du propriétaire de la voiture, c'est de la crème vanille pour le retrouver. Si je me mets en cheville avec mes potes de la Sûreté genevoise, ils me dénichent le renseignement le temps que ta femme se rase. Je suis venu bavarder avec Adélaïde pour connaître les réactions qu'eut l'oncle Tom lorsqu'elle lui fournit le renseignement. Nos investigations c'était « plein feu sur tonton ». Mais voilà que madame se pâme quand je l'interviewe à ce propos. Au lieu de me répondre, elle me restitue ses poivrons farcis. Alors, du coup, ça dévie l'angle de tir, comprends-tu ?

— Le bistrot est *closed ?* demandé-je à M. Blanc.

— Oui.

— Alors occupe-toi du taulier, je continue avec madame.

— Banco, mon vieux.

Dans un sens, il préfère ça, Jéjé. Le type à la chemise verte qui le traite de chimpanzé, il est pas près de partir en vacances avec ! Il me chuchote dans le cornet acoustique :

— Tu crois qu'une petite bavure serait mal tolérée de nos confrères dauphinois ?

— De nos jours, on est toujours à la merci d'un fan des Droits de l'homme. Sur le marché du crime, tu ne trouves plus que des brigands et des idéalistes.

Il hausse les épaules.

— Bon, je ferai au mieux.

Ma gamberge accomplit toujours le plus gros du travail. Mon raisonnement me précède à reculons, me dictant au fur et à mesure la conduite à tenir, les mots à prononcer.

— Adélaïde, murmuré-je, ton père est un rudement brave vieux. Le vrai honnête Savoyard. A quatre-vingts balais passés il continue de réparer des roues de vélo dans son gourbi. Tu sais ça ?

— Evidemment.

— Alors, tâche d'être un peu digne de lui avant qu'il crève.

— Pourquoi vous me dites ça ?

— Pour que tu me dises la vérité à propos de cette affaire de plaques d'auto suisses. Tu ne vas pas nier ce qu'il affirme en toute bonne foi, ma grande !

— Il n'a plus sa tête d'avant.

Salope ! Pas la peine de vouloir pincer la corde sensible : elle n'en a pas. C'est bouffi, c'est repu, c'est con et ça n'a plus de cœur. La veulerie de l'existence, la cupidité, la soumission au paf ont tout stoppé.

— Bon, bon, puisqu'on doit parler autrement... Le bistrot est à ton nom ?

— Bien sûr.

— Tu l'as acheté en quelle année ?

— 1974.

— Avec quel argent ?

— Bédame, mes économies !

— Avant de te mettre à ton compte tu étais serveuse de restaurant, m'a dit ton dabe, ou si c'est son ramollissement du bulbe qui le fait dérailler ?

— Non, c'est exact.

— Tu as contracté un emprunt auprès d'une banque pour cette acquisition ?

— J'avais assez.

— Heureusement, parce que, renseignements pris, un établissement de crédit aurait probablement refusé ton dossier.

— Qu'est-ce que vous en savez ?

Ça y est : elle sort ses griffes comme un avion son train d'atterrissage pour pouvoir se poser. Moi, maintenant, mon siège est fait, comme disait mon ami Poirot-Delpech au soir de son élection. Je suis prêt à te parier ma burne droite contre ta dent creuse que ces deux-là ont bricolé un petit coup d'arnaque sur la Suisse en 73. L'histoire du père Dugadin avec le touriste domicilié en Helvétie a dû les brancher sur une mine.

— Tu l'as payé combien, ce troquet, bien placé comme il est ?

— Trente briques de l'époque.

— Et toi, simple serveuse, t'avais trente bâtons dans ton bas de laine ! Dis donc, t'es la vraie petite fourmi !

— Moktar m'a aidée.

— Bien sûr : la fourmi et l'écureuil en ménage, fable !

Mon phrasé la déconnecte un peu. C'est pas une littéraire, Adélaïde. Mais son affaire naît dans ma comprenette, comme le dessin mystérieux naît des chiffres qu'il faut réunir par un trait de crayon à la page de « Jeux » des baveux. En somme, il espérait quoi de ces renseignements pris en Suisse, le tonton Tom ? Du blé ! Il voulait essayer de griffer une rallonge, le bon bougre jamais rassasié de picailles. Salcons le savait, il l'a dit à sa grande fifille qui l'a répété à son petit mac. Alors pourquoi n'auraient-ils pas eu l'idée d'affurer un pacsif dans ce trot attelé, les deux ?

Je rassemble le tout et le sert à la grosse en chuchotant : le mage Perlimpinpin dans ses œuvres. Elle m'écoute, secoue négativement la tronche, manière de repousser les évidences qui viennent lui chanstiquer le mental.

— C'était qui, l'étranger de Suisse ? Il faisait quoi ? Tu t'y es pris comment ?

— Non, non. On n'a rien fait. Je sais pas de quoi vous causez !

— T'es franchement bécasse de nier puisque tout ça va sortir au grand jour, comme dans une vente aux enchères. Ce qui m'intrigue — et toi aussi, je gage — c'est la raison pour laquelle le proprio de la voiture américaine aurait allongé trente tuiles. Après tout, ce n'était qu'un banal accrochage sans grandes conséquences et il l'avait déjà copieusement dédommagé, Thomas. Même par le circuit classique des assurances, il n'aurait pas engrangé plus, mon faux tonton.

Deux méthodes se proposent pour nous : soit y aller dans le troisième degré en essayant de contourner les bavures afin de les faires parler à tout prix, soit préparer un dossier substantiel qui nous offre une rampe de lancement solide, histoire de les confondre. Des images récurrentes m'amènent à pencher pour la seconde alternative, malgré que mon tempérament de feu me porte vers la première. Dans l'immédiat, il leur suffit de nier, battre à niort à outrance et on ne peut rien contre eux, RIEN ! On aurait dû venir avec notre manger, mais je pouvais pas présager qu'il y avait du louche, côté Adélaïde. Si elle n'avait pas paniqué quand je lui ai sorti ma question à cent balles, je ne me serais gaffé de rien. Il lui aurait suffi de conserver son calme et de bonnir n'importe quoi d'évasif... A présent, elle sera sur ses gardes et son souteneur va... la soutenir. Ils vont mettre au point une version qu'on aura du mal à démonter. Rageur, je reprends :

— T'as eu la méchante diarrhée verte, ma grande, quand je t'ai balancé cette tranche du passé dans les oreilles, tout à l'heure. Tu sais ce que je pense ? C'est que cette affaire est brûlante. La preuve ? Thomas Dugadin en est mort. Quatorze ans après ! Et dans les pires conditions. Je te montrerai un de ces jours les photos que l'identité judiciaire a prises de sa carcasse : le visage découpé, la bite fendue en deux, les tripes dehors... Maintenant que l'abcès vient de crever, tu joues avec ta peau en ne t'affalant pas, la mère. J'imagine tes gros nichons pendant comme deux chauves-souris sur ton bide, et ta chaglatte surmenée incisée jusqu'au nombril ! C'est le style des tueurs qui se sont occupés du vieux. Des sadiques, ma fille ; des pros que rien n'arrête et qui ne respectent ni les vieillards, ni les femmes.

Elle est blafarde sous son début de couperose, Adélaïde. Pas une journée faste qu'on lui fait vivre.

Le fichtre foutre m'empare.

— Allez, tchao (1), mémère !

Je la quitte sans un regard.

Dans le bistroquet, M. Blanc ne paraît pas obtenir de résultats positifs avec l'Arabe. Je comprends ça à sa mine renfrognée. Il est beaucoup plus maître de soi que sa grosse, Moktar. L'hérédité, tu comprends ? Il laisse pisser le mouton, lui. Il a l'habitude. Des interrogatoires, il en a subi des chiées, alors : « Comprends pas », « J' sais pas où vous prenez ça », « J'ai jamais rien fait de répréhensible ». Il a eu beau s'escrimer à la limite des bavures, M. Blanc, filer des coups de genou dans les roustons, des baffes sur les oreilles, et frapper les orteils du bistrotier avec son talon, il en est au même point.

— Viens, lui dis-je, on va laisser monsieur et madame réfléchir et on repassera demain pour une plus grande discussion. En attendant, mon cher Moktar, pas question, évidemment, de partir en vacances, n'est-ce pas ?

(1) Peut également s'écrire *ciao*, assure la comtesse de Paris.

On arpente à belles enjambées le bitume grenoblois. Jérémie est rageur. Alors, je lui vaseline un peu le moral :

— Pourquoi tu fulmines, grand Noirpiot ? On tient le bambou ! Ils sont à nous, ces deux cancrelats. Simplement, faut qu'on amasse des arguments et qu'on les laisse macérer dans leur pétoche. Car ils ont la pétoche !

— C'est clair qu'ils ont fait un coup foireux en Suisse, hein ?

— C'est évident, inspecteur.

L'ancien balayeur du 6e arrondissement casse une branchette de fusain à la terrasse d'un café et se met à la mâchouiller. Tu sais qu'il est superbe, ce diable noir. Grand commak, bien découplé comme on disait dans les bouquins à la con de jadis, aussi souple qu'un danseur. Tu t'attends à tout moment à le voir exécuter un numéro de claquettes sur le trottoir. Et sympa, mon vieux ! Alors là, sympa au point que t'as envie d'amener un fauteuil pliant afin de t'asseoir en face de lui pour le contempler, comme on regarde une ronde d'enfants, un feu de cheminée ou le coucher du soleil sur la Beauce.

— Et à présent ? me demande-t-il.

— Ah ! non, inspecteur Blanc, ne me demande pas des directives, voire même des conseils : c'est *TON* enquête. Tu diriges et je te mets des notes.

Il rit.

— T'es chié, mon vieux. C'est vraiment une putain d'aubaine que d'avoir rencontré un mec comme toi. (Puis, devenant grave :) D'accord, je décide et tu notes. J'ai droit à combien jusqu'à présent ?

— Seize sur vingt, mec.

Il fait la moue.

— T'es sûr que ça ne vaut pas plus ?

— Ça vaudrait vingt sur vingt si tu avais

commencé par faire rechercher immédiatement par la police suisse le nom du propriétaire de la voiture américaine.

Jérémie se plante devant ma bagnole.

— T'as raison, admet-il. Alors là, oui, je conviens. T'es chié dans ton genre, et moi, pas si malin que je crois. Dans le fond, crédité d'une faute pareille, seize sur vingt c'est pas mal payé, mon vieux, je te remercie.

Plus j'y pense, plus je me dis
qu'il n'y a aucune raison
pour que le carré de l'hypoténuse
soit égal à la somme des carrés
des deux autres côtés.

Quand t'arrives à Montmélian, tu passes devant la fromagerie et t'arrives à la gendarmerie. Mais si tu es fromageophobe, tu peux tout de même gagner la gendarmerie sans passer devant la fromagerie ; je tiens un itinéraire de rechange à ta disposition.

Nous sommes reçus par un brigadier d'une quarante-huitaine damnée, et la chevelure poivrant et salant, au menton énergique et dont le regard clair reflète les cimes qui se profilent au loin, et qu'on aperçoit depuis la fenêtre de son bureau. Il nous regarde entrer d'un œil intéressé. Et tout à coup, il me reconnaît pour avoir vu ma frime dans des revues où figurent d'autres culs plus appétissants encore.

— Commissaire San-Antonio ! Je rêve !

Je l'empêche de se prosterner, avec toute la délicatesse que déploie le bon roi Hassan II lorsque ses sujets se jettent à ses pieds, train d'atterrissage rentré.

— Repos, lui fais-je, oui, c'est moi, en chair et os, touchez ! Mais restons simples et ne m'appelez pas Majesté quand nous sommes entre nous.

Il mouille plein son froc d'un aussi grand bonheur inopiné. Car pour que le bonheur soit vraiment le bonheur il doit surgir à l'improviste.

— Mais par quel prodigieux concours Lépine de circonstances de lieux vous trouvez-vous ici, monsieur le commissionnaire? balbutie Jean-Baptiste Lechibré.

— J'accompagne l'inspecteur Blanc, ici présent qui est chargé d'un complément d'enquête sur le meurtre de Saint-Joice-en-Valdingue. Jérémie Blanc est nouveau dans la police, mais c'est une nature d'élite, un surdoué qui a déjà élucidé l'affaire du Courrier de Lyon, celle du Masque de Fer et qui prépare des conclusions époustouflantes concernant Louis XVII.

— Très honoré, fait le brigadier Lechibré, et complètement noir avec ça ! Tout de suite, je n'avais pas remarqué...

— Sans doute parce qu'il s'appelle Blanc? suggéré-je.

— Oui, c'est probable.

Ce caprice d'auteur passé, Jérémie prend l'initiative. En termes précis, il évoque l'accident d'hélicoptère survenu à Saint-Joice-en-Valdingue le 14 septembre 1973. Notre bon gendarme est tout contrit.

— Mes seigneurs ! Mais je n'étais pas ici à cette époque. Je démarrais à Fouzydon-Danloc, Il est Vilain ; pardon : Elle est Vilaine ; c'est votre présidence qui me trouble !

— Remettez-vous, mon cher. Après tout, si on y réfléchit bien, nous ne sommes que des mammifères ; on pisse des résidus de boissons fermentées et on défèque les scories de nourritures prises dans des trois étoiles, c'est la seule différence qui nous distingue du bœuf. Plus quelques babioles telles que *Roméo et Juliette, La Joconde* et la pénicilline.

L'inspecteur Blanc, mon numéro commence à lui perturber la prostate.

— J'aimerais bien que tu réserves ça pour ton one

mane chauve au Zénith, ronchonne-t-il. Travailler en déconnant, j'ai pas encore pris le rythme.

Il revient à son hélico et, montrant des casiers métalliques répertoriés, il suggère que lesdits doivent être bourrés de dossiers et qu'on peut espérer y trouver encore le rapport de l'accident.

Il est franchement époustouflé par tant de sagacité, Jean-Baptiste Lechibré. Il nous fait part de son abasourdissage. Il trouve que des cerveaux humains capables de pareilles trouvailles, faut les conserver dans du formol pour instruire les générations futures. Qu'elles puissent admirer leurs lobes, leurs pédoncules et leurs protubérances. Pas y laisser perdre, surtout ! Au moins prendre des macrophotos !

Et bon, nouvelle giclette d'extase dans son futal. Va devoir changer ses pampers, décidément ! Sous le guidage averti de M. Blanc, cependant peu familier de la paperasserie (ex-balayeur, tu penses !), il part à la recherche de l'année 73, laquelle s'éloigne de nous à tire-d'ailes et larigot. La trouve, coincée, cette pauvrette, entre la 72 et la 74 (qui vit mourir notre pauvre Pompidou). Un épais dossier de toile grège épluché du dos et fermé par une sangle. Il le porte à son bureau tel un enfant blessé, et, toujours sous la houlette de Jérémie, l'ouvre et l'inventorie (et non pas lavatory, comme j'ai lu l'autre jour dans un sous-sol de gare). Il fait pas long pour trouver le rapport en date du 14 septembre (en anglais *september*). Rayonnant, il dresse sur moi un regard ému, mouillé de fierté et de ce fait très lourd.

— J'ai ! annonce le brigadier.

Il veut me tendre le document, mais c'est l'inspecteur Blanc qui s'en empare prestement. Le voilà qui se fend comme une pastèque et qui se met à gratter furieusement ses testicules en jubilant.

— Ça alors ! Ah ! ben ça, alors, c'est chié, mon vieux ! Pour être chié, c'est chié !

— Il vous tutoie ? s'alarme à voix basse le gendarme. Vous ! Lui : un Noir !

— Du point de vue grammatical il n'en est qu'à la seconde personne du singulier ; mais quand il aura étudié la troisième, les choses rentreront dans l'ordre, rassurez-vous, réponds-je (à cul).

— Ah ! bien. Je me disais...

T'avoueras que je suis de belle composition (française) et que j'ai toutes les indulgences pour M. Blanc. Car enfin il me revenait de prendre connaissance de ce document avant lui. Mais je joue le jeu. Une fois de plus : c'est son enquête. Et ma pomme supervise seulement.

— Je pense que ma note va grimper quand tu auras lu ça, mon vieux ! déclare Jérémie avec un poil de suffisance qui fait friser ceux que j'ai sous les bras, parce qu'il faudrait pas trop pousser Sana dans les orties.

Si sa tronche se met à enfler, cézigus, crépue comme elle est, elle ressemblera vite à un édredon de grand-mère.

Je biche le document et déclare sèchement :

— Quel que soit son contenu, je te mets quinze !

— Mais j'avais seize tout à l'heure, proteste mon disciple, douché.

— Je t'enlève un point pour ne pas avoir pensé à consulter la collection du *Dauphiné* du temps que nous y étions. L'accident y était relaté avec tous les détails, moi je n'aurai pas besoin de lire ce rapport car j'en connais le contenu ; je vais le faire néanmoins par probité professionnelle, car je peux y trouver une précision omise par la presse.

Le grand Noir plonge du pif. Bon, j'ai remis le compteur à zéro.

— Pardonnez-moi de vous faire perdre votre temps, brigadier.

Jean-Baptiste Lechibré récrie bien haut que ma visite est l'événement de sa vie et que, dès ce soir, il va s'acheter un cahier quadrillé pour commencer d'écrire ses mémoires.

*
**

Il portait un costume infroissable, comme ceux que tu peux rouler serré et mettre dans ta poche si tu en possèdes un second. Malgré tout, le vêtement était bien coupé. Dans les bleu pâle avec de fines rayures roses. Il exaltait le bronzage de Stephen Black.

A Kennedy Airport, il avait repéré une jeune femme blonde et mince, avec des cheveux raides coupés sur la nuque, exactement comme il aimait. Elle s'infligeait un régime trop draconien pour avoir de beaux seins ; mais Black se disait qu'il aurait néanmoins volontiers joué avec eux. Le tailleur coquille-d'œuf de la fille sortait de chez un grand couturier français. Stephen qui suivait la mode de près, l'élégance faisant partie de ses préoccupations, hésitait entre deux noms réputés. Il aimait l'encolure de la veste et le plissé de la jupe. Toujours, les jupes plissées l'avaient excité. Il nota qu'elle tenait une carte d'embarquement de *first* à la main, comme lui, et, bien qu'il eût rarement de conversation avec Dieu, il Lui demanda de placer cette créature raffinée à son côté et le Seigneur qui témoigne souvent de l'indulgence aux canailles exauça son souhait.

Avant le décollage, ils avaient déjà engagé la conversation. Il comprit tout de suite que son charme glacé opérait sur la passagère et il en profita pour « pousser son avantage ». Il apprit qu'elle était française et qu'elle représentait une agence de prêt-à-porter à New York. Elle se rendait souvent à Paris où son époux travaillait dans la publicité. Leur vie actuelle ne favorisait guère l'épanouissement d'un foyer, aussi retardait-elle le moment d'avoir des enfants.

L'hôtesse leur proposa du champagne et ils se portèrent un toast muet, plein de sous-entendus; Black avait l'art du « non dit ». Son regard éloquent suppléait les mots et certaines de ses expressions valaient des tirades.

On leur servit un délicat repas auquel la jeune femme ne toucha pratiquement pas. Black ne se gêna pas pour savourer le sien complètement, avec son solide appétit coutumier. Pareil à un athlète de haut niveau, il consommait toujours de fortes quantités de nourriture, en évitant toutefois les hydrates de carbone.

Quand on les eut débarrassés des plateaux, Stephen Black renversa son siège de quelques degrés. Ils se trouvaient assis au dernier rang des *first* et n'avaient derrière eux que la cloison les séparant de la classe Y.

— Vous ne lisez pas ? demanda-t-il.

— Non, répondit la jeune Française.

Sans lui demander son avis, il éteignit les lampes dont les minces faisceaux tombaient sur eux. Ils se trouvèrent alors plongés dans une discrète pénombre, propice au sommeil. Bientôt, les allées et venues des hôtesses cessèrent, l'éclairage général de l'appareil baissa de plusieurs niveaux et il n'y eut plus qu'une molle torpeur accentuée par le bruit soyeux des réacteurs, loin derrière leurs fauteuils. Stephen murmura quelque chose d'inaudible. Elle lui fit répéter.

— Je suis bien, soupira-t-il. C'est un instant marginal, de vrai bonheur ; vous ne trouvez pas ?

Elle dit « Si » et il lui prit la main. Elle eut un mouvement pour la lui retirer. Black accentua sa pression, mettant dans celle-ci une grande partie de son énergie. La jeune femme ne résista plus. Il se mit à caresser ses doigts, doucement. Ensuite il les porta à ses lèvres et les suça l'un après l'autre. Sa poitrine frissonna, subjuguée par l'étrange caresse. Elle éprouvait une indicible sensation comme s'il eût léché tout son corps. Elle eut intensément envie de ce beau mâle terrifiant auquel il était impossible de résister.

Elle rêva qu'elle se trouvait dans une chambre bien close avec cet inconnu et qu'il l'entraînait dans un tourbillon de folies. Ce qui la fascinait le plus chez son compagnon de voyage, c'était sa désinvolture, son autorité et sa lenteur étudiées. Contrairement à la majorité des hommes, toujours pressés d'arriver à l'aboutissement, lui prenait son temps et savourait les prémices.

Quand il eut longuement sucé ses doigts, il abandonna sa main et posa la sienne sur la jambe de sa voisine. Et il resta sans bouger. Sa chaleur, ses ondes, pénétraient la jambe de la femme, s'irradiaient à travers tout son corps. Elle songea qu'elle n'avait jamais connu peut-être de plus grande volupté qu'à cet instant, avec cette main posée sur sa cuisse. Tout naturellement, ce fut elle qui, après une longue et intolérable attente d'animal piégé se mit à remuer sur son siège, quémandant ainsi des caresses plus intimes. Il fut inexorable et s'obstina à attendre encore, sans que sa main ne frémisse.

A la fin, elle se pencha contre son épaule et exhala une sorte de légère plainte qui ressemblait à un appel. Ce fut comme un déclic qui le fit se décider. Sa main se coula sous la jupe plissée et il en ressentit un grand bonheur et un grand sentiment de victoire, car rien n'est plus décisif ni plus comblant pour un mâle que de toucher pour la première fois le sexe d'une femme.

Il ne lutta pas contre le fin slip étroit, mais de sa petite main magique, il le déchira sans la meurtrir, et elle coula sur son siège, ses genoux touchant le dossier qui lui faisait vis-à-vis, les jambes ouvertes, offertes intensément.

Sur la même rangée de sièges, de l'autre côté de la travée, un gros homme apoplectique qui suivait leur manège depuis un moment émit un grognement de protestation.

Black retira sa main et, se penchant dans l'allée centrale en direction de son voisin lui demanda, son regard planté dans les yeux de l'autre :

— Quelque chose qui ne va pas ?

Son expression devait être insoutenable car l'autre se mit à bafouiller :

— Si, si, tout va bien.

— J'espère ! dit Black.

Et il continua de fixer pendant un bon moment encore le gros homme éperdu qui finit par croiser ses mains sur son ventre et fermer les yeux.

Il était tôt lorsque l'avion se posa à Charles-De-Gaulle. La femme dit adieu à Black pendant qu'ils arpentaient le couloir mobile servant au débarquement des passagers.

— Et quoi, on se quitte comme ça ? protesta Stephen.

— Il le faut, car mon mari m'attend. A moins que demain...

— Demain, je ne serai plus à Paris, coupa Black.

Elle eut un sourire nostalgique et reconnaissant, puis elle pressa le pas pour s'éloigner de lui.

Peu de gens attendaient l'arrivée du vol. Stephen Black aperçut un homme mal réveillé, genre B.C.B.G., plein de suffisance et qui devait se croire irrésistible. Il fut aussitôt convaincu qu'il s'agissait du mari et une colère fulgurante s'empara de lui. Il obéissait souvent à des pulsions irrésistibles qui lui faisaient commettre des actes insensés. Pressant le pas, il rattrapa sa compagne de voyage et la prit par le bras au moment où l'homme s'avançait vers elle, la bouche en cœur. La jeune femme, anéantie par la stupeur et la crainte, essayait mollement de se dégager de la ferme étreinte.

Black s'adressa au mari d'un ton courtois :

— Voilà, dit-il, je vous la rends. J'ai fait un merveilleux voyage : y a que les Françaises pour sucer aussi bien. Et l'odeur de sa chatte est un enchantement.

Il avança ses doigts sous le nez du gars abasourdi.

— Vous ne trouvez pas? Veinard, qui allez disposer d'une chambre pour baiser cette splendeur!

Il respira à son tour ses doigts, les yeux fermés. La jeune femme, pleurait, anéantie par tant d'imprévisible cruauté.

— Quel dommage de devoir prendre un bain! soupira Stephen Black en laissant retomber sa main.

Et puis il s'éloigna.

Rendu fou, le mari bafoué se précipita sur ses talons, le rejoignit et lui saisit rudement le bras.

— Dites donc, vous! Vous ne pensez pas que ça va se passer comme ça! hurla-t-il.

Black se retourna posément et regarda le cocu comme il avait regardé le gros type de sa travée, pendant le vol.

— Barre-toi, connard, ou je t'arrache les couilles! articula-t-il.

Son adversaire en puissance perdit pied et détourna le premier les yeux.

Stephen Black reprit sa route. Comme il n'avait qu'un bagage à main, ils n'eurent plus à s'affronter devant le tourniquet et il se rendit chez Avis pour y prendre possession de la voiture qu'il avait fait retenir : une Volvo jaune souci qui ressemblait à un taxi new-yorkais.

Une heure plus tard, il roulait sur l'autoroute du Sud.

Quoi de plus beau qu'un fer à repasser quand il dort ?

— Qu'est-ce que tu penses de tout ça, mon vieux ?

— *J'en* pense encore rien, *j'y* pense.

Sur le perron de la gendarmerie, le brigadier Lechibré est resté au garde-à-nous, main au kibour, kif si j'étais le fantôme du général de Gaulle en tournée d'inspection. Je passerai lui crier « repos », ce soir.

On se dirige à pas comptés vers un bistrot pour y écluser un verre de Roussette. J'adore ce vin blanc de Savoie, fruité et légèrement râpeux. Jérémie ne moufte plus, sachant déjà que la méditation d'un supérieur est chose sacrée.

On s'abat dans un troquet aux tables cirées. Mes idées produisent une sorte de fumée qui emmitoufle mon cerveau. C'est ça, le confort intellectuel : une langueur de l'esprit avec tout plein de bulles qui naissent, montent, éclatent, se renouvellent.

— Ces messieurs ? demande un type en gilet de laine troué aux coudes.

— Deux verres de Roussette !

— C'est quoi ? s'inquiète M. Blanc.

— Du vin blanc.

— Tu me draines l'air avec ton vin blanc ! Vous

ne pouvez donc pas rester une heure sans vous alcooliser, merde ! Pas étonnant que vous soyez tous des débiles mentaux ! Patron ! Pour moi ce sera une limonade !

Mais les commentaires de Jérémie s'estompent dans mes trompes. Je commence à avoir une vue panoramique de l'affaire Tonton.

Le 14 septembre 1973, un hélicoptère Giroupette 118 appartenant à la compagnie suisse Pale-Air-Lémanique était affrété par trois journalistes de nationalité américaine désireux de réaliser un reportage artistique sur les Alpes savoyardes. L'un d'eux possédant son brevet de pilote et les intéressés ayant versé la caution demandée, et déposé leur plan de vol ils purent louer l'appareil et décoller. Cinquante minutes plus tard, après avoir survolé la région d'Annecy, puis être passés à l'est de Chambéry, le pilote percutait la ligne à haute tension et l'hélico explosait. On devait retrouver les restes des trois passagers affreusement déchiquetés.

Déposition d'un paysan nommé Thomas Dugadin sur les terres duquel se produisit le crash :

« J'étais à placer une barrière électrifiée pour faire pâturer ma vache quand j'ai entendu le giravion. Il semblait vouloir se poser dans mon pré. Peut-être avait-il des ennuis de moteur ; c'est du moins ce que j'ai pensé. Un instant plus tard, il y a eu une forte explosion, des flammes ont jailli de l'engin et il s'est comme désintégré. J'ai même aperçu les passagers en feu qui tournoyaient dans l'air avant de s'écraser sur mes terres. Sur le moment, j'ai eu peur d'être touché par des éclats et je me suis jeté au sol. Et puis il y a eu le silence et alors je me suis relevé et j'ai couru sur les lieux. C'était épouvantable. Les corps continuaient de brûler. J'ai couru alerter du monde. J'espère que l'E.D.F. réparera très vite la ligne, vu qu'un pylône est tordu au-dessus de mon champ et que je redoute pour ma vache. »

Une gorgée de Roussette. Fameux. Mon négro siropte sa limonade. Chacun ses goûts.

Je sors de mon rêve comme on sort de la brume dorée du matin lorsqu'on cabotine en barlu.

— Inspecteur Blanc, fais-je, je voudrais voir si tu es réellement intelligent ou simplement pas trop con. Quelque chose t' a-t-il frappé dans la déposition du vieux ?

Il me foudroie de son énorme regard globuleux.

— T'es chié, toi, mon vieux, avec tes colles à la noix. Evidemment que quelque chose frappe dans ce qu'a dit l'oncle Tom. Faudrait être un gros connard comme ton copain Béru pour passer à côté.

— Ne mets pas en cause un absent. Je te souhaite d'avoir un jour la moitié des qualités professionnelles d'Alexandre-Benoît. Cela dit, j'attends ta réponse ?

— Ben, mon vieux, ce qui frappe, c'est quand le vieux dit, en parlant de l'hélico « qu'il semblait vouloir se poser dans son pré ».

— Très bien.

— Il semblait vouloir se poser dans son pré *parce qu'il était en train de se poser dans son pré,* ni plus ni moins ! T'es chié, toi ! Ça saute au bon sens, merde !

Brave M. Blanc. Quand on songe qu'il aurait pu balayer les alentours de Saint-Sulpice pendant encore une trentaine d'années !

— Si je te demande de me donner ton point de vue de l'affaire Tonton, parvenu à ce point de l'enquête, tu me racontes quoi ?

Il réfléchit, exécute avec la bouche un bruit que Bérurier produit généralement en s'aidant de son seul anus et commence :

— Un peu prématuré, monsieur le commissaire. Néanmoins, disons que je pressens dans tout ça des options fondamentales.

Dis, il a du vocabulaire, le balayeur d'étrons canins.

— Pour commencer, je devine que tout est lié : l'accident d'auto et l'accident d'hélico. A preuve, leurs protagonistes sont des étrangers venant de Suisse.

Il avale une gorgée de limonade.

— Ensuite, il est clair et certain que le Nordaf et la fille Salcons ont eu un rôle déterminant. Je suis convaincu qu'ils ont obtenu du fric de l'homme à la voiture américaine ; et pas qu'un peu : au moins trente briques, mon vieux, ces salauds ! A l'insu de Tonton, bien entendu. Tu vois, à vue de nez, il me semble qu'ils ont fait porter le chapeau au vieux pingre. C'est eux qui ont ramassé la fraîche et le père Thomas qui a écopé des ennuis.

« Tout ça est noué dans le temps. Il ne s'écoule pas deux mois entre l'accident d'auto et l'accident d'hélicoptère et pas un an entre le premier accident et le testament du vieux crabe. Après l'histoire de l'hélicoptère, il a dû subir d'autres attaques, d'autres menaces, seulement nous ne le savons pas car la tante Mathilde est morte et c'était elle qui assurait le reportage sur la vie de Dugadin. C'est à travers ses lettres que nous avons pu rassembler cette somme d'informations et d'indices. Si Tonton a subi des tracasseries par la suite, nous l'ignorons. »

— Tu es un policier admirable et de grand avenir, monsieur Blanc. Je suis fier d'avoir un élève de cette classe.

Il rit de bonheur.

— T'es chié, tu sais, vieux ! Franchement, j'ai jamais rencontré un type aussi chié que toi !

— Alors, pour conclure, mon bon Sherlock, où se situe le grand mystère dans ce sac d'embrouilles ?

— Le temps, mec. Le temps. *Pourquoi s'est-il écoulé plus de douze ans avant qu'on ne bute le pauvre bonhomme ?*

— En effet, approuvé-je, *that is the question.*

— Qu'est-ce qu'on branle à présent, monsieur le commissaire ?

— En attendant d'avoir la réponse de nos confrères suisses, on pourrait aller visiter la maison du crime, non ?

— J'allais le proposer, assure Jérémie.

Et je le crois.

Quand il atteignit le village, Stephen Blak surprit des regards curieux et regretta de s'être laissé louer une voiture aussi voyante que cette Volvo jaune canari. Il traversa Saint-Joice-en-Valdingue sans s'arrêter, ralentissant seulement pour obéir aux réglementations de la circulation. Il savait que le chemin conduisant à la fermette du défunt Dugadin était le deuxième à gauche après l'église et qu'il fallait monter près d'un kilomètre une colline plantée de vigne. Ensuite la campagne s'offrait, faite de prés, de haies, de champs de seigle ou de pommes de terre. On précisait sur son plan qu'il trouverait un gros noyer sur sa gauche, prolongé par une langue de pré en forme de Corse. A l'extrémité de ladite se dressait un boqueteau de châtaigniers et la maison de l'homme assassiné se nichait dans un vallon après le bois.

Il repéra les lieux, son coude gauche pointé hors de la portière. Stephen possédait un œil de rapace et une mémoire spontanée qui enregistrait tout au fur et à mesure comme l'aurait fait une caméra.

Il atteignit le gros noyer et continua tout droit sa route. Lorsqu'il eut franchi le bois de châtaigniers, il vit la vieille maison de pierres dont le grand toit savoyard tombait bas sur la façade. Mais il ne s'arrêta pas et poursuivit son chemin en direction de Conivance-le-Vieux, distant d'environ cinq kilomètres.

Une fois en rase campagne, il aperçut un chemin humide qui dévalait jusqu'au ruisseau et, sans hésiter, il y engagea la Volvo. Malgré la boue, le chemin était suffisamment empierré pour qu'il ne s'enlisât point.

Il continua jusqu'à l'eau limpide. Au bas du chemin, se trouvait une clairière où des souches d'arbres pourrissaient. Black manœuvra de manière à placer l'auto dans le sens du retour. A cet endroit de hautes fougères dissimulaient la voiture et il fallait vraiment venir jusqu'à la clairière pour l'apercevoir. Le soir, au creux du vallon, commençait de prendre ses aises, Black se dit qu'aucun promeneur ne risquait plus de s'aventurer en ces lieux virgiliens. Il sortit de la boîte à gants un petit walkman rouge dont il coiffa le casque fragile et qu'il brancha. Assis à son volant, dans une pose détendue, il attendit la nuit en écoutant son concerto de Rachmaninov.

A quoi te sert d'avoir le nez creux
si tu ne prises pas ?

— Tu ne crois pas qu'on devrait attendre demain pour usiner ? demande Jérémie au moment où je stoppe ma Maserati sous le hangar de Tonton.

— Pourquoi ?

— Parce qu'il fait noir comme dans mon cul, mon vieux.

Je stoppe net dans la clarté lunaire si chère aux pouètes du siècle dernier que j'ai beaucoup fréquentés.

— Vous venez de vous faire ôter un demi-point, inspecteur Blanc ; je regrette, fais-je. Car un flic ne doit être timoré en aucun cas, n'importe les circonstances.

Il éclate :

— T'es chié, toi alors, monsieur le commissaire ! Je disais cela parce que j'estimais que, de nuit, on ne peut pas faire un aussi bon travail d'exploration que de jour !

— Vous ne réalisez donc pas, inspecteur Blanc, que c'est de nuit que tonton Tom a été torturé et assassiné, de nuit que cette maison a été fouillée et qu'ainsi donc, les conditions pour une reconstitution efficace sont réunies ?

Il ronge tu sais quoi ? Non, pas son frein, puisqu'on est descendus de bagnole : ses ongles. Je l'entends marmonner dans son patois sénégalais des choses dans lesquelles je me trouve très probablement impliqué et qui, de toute évidence, manquent de bienveillance à mon endroit.

Mon cœur se flétrit, comme l'écrit Mme Yourcenar dans le superbe feuilleton qu'elle a donné à *Nous Deux*, l'an passé, lorsque je contemple cette image de ma petite enfance. La cour de ferme, boueuse, fumière, le hangar où j'ai cloqué ma tire auprès d'une vieille charrette dont les bras d'imploration sont dressés vers les toiles d'araignée du toit, et puis la ferme carrée, avec son lourd chapeau de tuiles brunes qui paraissent noires sous la *moon*. On a fermé les volets et la façade semble dormir.

Je revois tante Mathilde sur le seuil de ciment, avec un grand sourire de joie, essuyant ses mains ménagères à son tablier de coutil. Y avait mon papa dans ce temps-là ; pas tellement joyce de se pointer chez Dugadin, mais faisant bonne figure pour ne pas contrister maman. Le vieux Tom ne se trouvait jamais là. A croire qu'il n'habitait pas sa ferme. Il surgissait d'ailleurs, toujours : de l'écurie, du hangar, du potager, d'un sentier qu'on n'avait pas remarqué entre les hautes touffes d'orties.

Je vais retrouver cette odeur de cellier et de vieux bois, de Javel aussi, car tante Mathilde, avant de balayer, arrosait toujours le sol avec un gros entonnoir à anse contenant une lotion javellisée. Elle décrivait des 8 à n'en plus finir, qui se superposaient et subsistaient longtemps sur le rude plancher. Ah ! mes ombres ! Personnages de ma petite enfance dont je traîne le deuil sur les rivages de la vie, pareil à une vieille veuve bretonne qui s'obstine à regarder la mer.

L'inspecteur Blanc, morigéné, se dirige vers la lourde. Il s'y cabre. Un léger sifflement lui part des lèvres ou du nez, je ne sais, car avec l'éteignoir de cierges qu'il se trimbale, il peut même imiter la sonnerie du clairon.

— Quoi donc ? m'enquiers-je.

— Vise !

La Justice avait posé les scellés sur la porte, mais quelqu'un les a fait sauter avec un parfait sans-gêne. Mieux : la lourde n'est pas complètement fermée et une simple poussée la fait s'ouvrir.

Je retrouve exactement les senteurs que j'escomptais, plus des relents de mort, car l'oncle Tom a agonisé ici et son cadavre suspendu a commencé gentiment à s'y putréfier. La corde ayant servi à le suspendre est encore sur l'énorme crochet fixé sur une poutre que j'ai toujours vu et qui me fascinait. Tante Mathilde m'expliquait qu'on y accrochait la balance à fléau lorsqu'on pesait le cochon après l'avoir saigné dehors. Je vois l'oncle Tom pendant de ce plafond bas, ses avant-bras traînant sur le plancher : la photo que m'a montrée Bavochard.

La lumière que j'ai actionnée tombe d'une ampoule très faiblarde (pas plus de 25 watts) noircie par les chiures de mouches. Tout est saccagé en effet : les meubles, la grande hotte de la cheminée. Il reste une chaise valide, je m'y assois et m'accoude à la grande table massive, lisse de crasse et meurtrie par plus d'un siècle de service paysan.

— Alors ? demande M. Blanc.

— Ben, fais ! lui dis-je avec lassitude.

Ça commençait toujours par du café, je me souviens. Tante Mathilde, comme maman, avait sa « dubelloir » sur le coin du fourneau.

« — J'en sers une goutte au petit ? » demandait-elle.

« — Très peu, et avec du lait ! » répondait Féloche.

Et puis bon, tout ça c'est du passé, du fini. De ces gens d'alors, très momentanément rassemblés, il ne reste que m'man et moi.

Jérémie demande :

— Elle est où, sa chambre ?

Chose curieuse, marrante presque, pour évoquer Tonton il désigne le tronçon de corde au bout duquel il est clamsé.

— En haut !

Et je lui montre l'escalier de bois, au fond de la pièce commune.

La maison ne comporte que quatre grandes pièces : la cuisine-salle-à-manger- « salon » où nous nous trouvons, à côté de celle-ci un local qu'on appelle la « souillarde » (de souillon, je suppose ?) où se trouve l'évier, le matériel à fromager, des denrées, des ustensiles, des caisses vides, des bidons pleins... Au premier : la chambre meublée d'un grand plumard haut sur pattes, d'une armoire murale aux portes de noyer ouvragées, d'une commode également en noyer, d'un fauteuil voltaire et d'une malle à couvercle bombé. Cette chambre, je ne l'ai vue qu'une seule fois mais je suis capable de te la dessiner sans omettre le moindre cadre à photos, ni le crucifix noir « agrémenté » d'un rameau de buis jauni. Quant à la seconde pièce du premier, c'est le grenier à grains.

Le pas souple de Jérémie fait à peine gémir les marches. Je te dis : un félin, l'artiste. Quelle carrière va-t-il faire ? Sera-ce pour lui un gros handicap que d'être noirpiot ? Ils ont beau la ramener avec leur pote auquel il ne faut pas toucher, c'est loin d'être fini, la ségreg, mes frères. Pas avant qu'on soit tous mulâtres (car nous le serons un jour, inexorablement). Non, pas avant ! Et même ensuite, ils trouveront encore des différences pour se hiérarchiser ! La bande doc !

Il se produit un gros bruit au-dessus de ma tête. De la poussière et des petits trucs du genre fétus de paille pleuvent sur mes épaules comme les pellicules d'un pouilleux qu'aurait jamais entendu causer de Pétrole Hahn (ma chère Hahn, ne vois-tu rien venir ?).

Le bruit dont au sujet duquel je te parle, c'est comme un gros toutou de race Sahara Bernard, qui se couche d'un bloc, épuisé d'avoir tiré un coup en levrette. Cézarin a dû renverser le fauteuil voltaire, je parie. Ses pas continuent. Et puis y a de l'accalmie intégrale. M'est avis qu'il vient de trouver des choses intéressantes, le futé.

Curieux, ce rôle de prof que je joue. Plus exactement de superviseur. Je me vois bien interpréter ça dans une série télévisée. Sana guidant les premiers pas d'un jeune surdoué de la Poule. L'annotant, le conseillant, lui tenant la paluche quand il défouraille mal.

Est-ce que j'aurais des velléités à tourner vieux con ? C'est ainsi que débute le départ sur le toboggan. La soif des honneurs. Illuminer le monde de ses propres rayons. Voir son prestige reconnu. Se faire connaître, c'est bien ; mais se faire re-con-naître, alors là c'est le top, mon ami, le top !

Les coudes sur la table, je regarde la corde sinistros qui pend, rectiligne et effilochée du bout par le couteau qui l'a tranchée. Et je revois une fois de plus, en des bouffées de remémorance tarabustante, nos visites d'autrefois, quand l'oncle Tom déboulait d'on ne savait d'où, après que nous nous fussions installés et que m'man ait jacté de l'essentiel avec sa sœurette. Il claudiquait un brin, Tonton. Il avait une casquette, un tablier bleu dont la poche centrale pendait comme un ventre d'hydropique tant il la bourrait d'outils : sécateurs, tournevis, peloton de fil de fer, marteau à grosse tronche. Il restait un instant sur le seuil pour nous considérer, puis feignait la surprise bien que notre bagnole fût sous le hangar, à l'endroit exact où je viens de remiser la mienne. Il disait, sans la moindre joie : « Oh ! vous m'en direz tant ! » Toujours la même phrase. Puis il entrait, maussade. Papa et lui commençaient par se serrer la louche, ensuite il embrassait m'man sur les deux joues et m'accordait à moi un baiser sec sur le front. Sacré vieux grigou, va ! A son âge, se laisser embarquer dans une béchamel pareille, je te jure !

Je ressens tout à coup un petit chatouillis sur la main. Je regarde et tu ne devineras jamais ce que je vois, à moins que tu n'aies visionné quelques films d'épouvante classiques. Une tache de sang, mon vieux ! Large comme une pièce de deux francs. Un sang rouge, brillant, épais. Le cachet de cire Cartier ! Ça a chié entre deux lattes du plafond.

Le temps de réaliser et plusieurs autres gouttes tombent sur la table. Putain d'elles ! Je me dresse et me mets à cavaler vers l'escalier. Dix-sept marches que je gravis quatre à quatre, ce qui donne trois grandes enjambées et une petite normale.

La porte de la chambre est ouverte et Jérémie gît sur la descente de lit râpée de l'oncle Tom. Le manche d'un couteau dépasse de son polo et le sang pisse dru de la blessure. Le choc sourd, c'était pas le fauteuil voltaire, mais lui-même.

Un kaléidoscope fulgure dans ma tronche. Je repense aux scellés de la porte brisés, à la lourde mal fermée, à ma négligence. On s'est pointés alors que quelqu'un se trouvait dans la chambre du vieux. Et ce quelqu'un n'a pas hésité à poignarder Jérémie quand il est entré.

La fenêtre ouverte m'en dit long. J'y cours. Elle ne se trouve qu'à quatre mètres du sol : de la rigolade pour un homme d'action...

Je calcule le temps qui s'est écoulé depuis que j'ai entendu la chute de M. Blanc. Con de Sana ! Superviseur de ses fesses ! Il rêvassait, l'artiste ! Faisait de la broderie mentale, le niais ! Il s'est bien passé deux à trois minutes avant que le sang ne tombe du plafond. Ce qui signifie que l'agresseur est loin.

Agenouillé auprès du brave Noir, je palpe son pouls. Il bat, mais la breloque. Un râle bulbeux sort de sa gorge. Il est dans le sirop complet. L'antichambre de la mort. Oh ! le connard de Sana ! Ce type heureux, avec sa chère Ramadé et ses chiares turbulents, qui balayait le pavé de Paname en rêvant aux rives du fleuve Sénégal... Et que je suis allé détourner de son humble mission pour en faire un super-flic.

Le pari fou d'un glandeur. Un nègre policier d'élite, grâce au fameux Santantonio qui a su détecter, etc. et qui, etc. Tartines ! Tartines !

J'hésite à arracher le couteau de la plaie, mais on m'a toujours enseigné que cela risquait d'être fatal à la victime. Comme si ce coup de rallonge dans le buffet ne l'était, fatal. Il se meurt, Jérémie ! Question de minutes.

Je cavale jusqu'à ma Maserati, laquelle, nul n'en ignore, est équipée du téléphone. Il me faut l'hôpital de Chambéry, dare-dare. Je l'obtiens. Police ! Urgent ! Une ambulance avec un équipement de soins intensifs et un médecin à son bord pour Saint-Joice-en-Valdingue. Dans la maison où fut torturé et tué un vieillard voici quelques jours. Et qu'on ne s'occupe pas des excès de vitesse.

Ma chemise est trempée car je suis en nage. En âge de commettre les pires erreurs ! Je raccroche et m'apprête à ressortir lorsque je pense que, depuis quelques mois, je me suis doté d'un équipement permettant d'apporter les premiers soins à un blessé.

Mes connaissances médicales sont médiocres, pourtant nécessité fêle l'oie. Je sors la boîte de couleur crème, décorée du drapeau suisse en négatif (cher Dunant, que de reconnaissance nous te devons) et retourne au chevet (si je puis m'exprimer ainsi à propos d'un homme en train de gésir sur un plancher) de l'inspecteur d'élite Jérémie Blanc.

Je vaincs ma perplexité une fois la boîte ouverte. Qu'importe si je me goure, l'essentiel est d'agir. Agir à tout prix. Tenter l'impossible, l'inutile même, mais « faire quelque chose ».

Je choisis un tonicardiaque tout prêt dans une seringue asceptisée placée dans un conditionnement de plastique transparent. Intraveineuse. Ce n'est pas la première que je pratique. Ma sangle de caoutchouc enserre le bras du noirpiot au-dessus de son coude, après que j'aie retroussé la manche de son blouson. Je trouve une veine potable. Pas commode dans tout ce noir. Il est vraiment couleur d'ébène, mon pote. Et tu sais que c'est une œuvre d'art ? Tu sais que Léonard de Vin Cuit, Raphaël Géminiani, les autres, ils n'ont fait que copier la beauté. Le chef-d'œuvre, il est là, avec un ya dans le burlingue, mon ami ! Admirablement modelé, harmonieux au-delà du possible.

J'enquille doucettement la fine aiguille dans le pipe-line. Je presse imperceptiblement sur le piston. Ça dure... Ça n'en finit pas.

Quand, malgré tout, la seringue est vide, je cherche ce que je pourrais faire d'autre pour lui. Mais j'ai beau me creuser la calbombe, franchement je ne trouve pas. Ça n'est plus de ma compétence.

Alors je retourne à ma guinde pour tubophoner à

la Sûreté de Chambéry. J'aurais dû le faire tout de suite après mon appel à l'hosto.

Faut que je me retire un point, mon vieux. J'ai beau être un type « chié », je fais des conneries comme tout le monde.

SECOND PART

LA CHASSE AUX GRANDS FAUVES

Par tradition,
tous les marins du monde
picolent, car il était bon,
dans la navigation d'autrefois
qu'il y eût toujours
du vent dans les voiles (1).

— C'est la bière, me dit Béru en se mettant à compisser un arbre de Grossbrakstrasse. C'est la bière, ne cherche pas.

Je ne « cherchais », néanmoins la confidence affûte mon intérêt.

Une dame suisse-allemande, coiffée d'un feutre vert à plumes qui promène son chien se met à pousser des clameurs devant la miction suicide béruréenne. Elle bonnit en swisdeutch des choses fustigeuses et hautement réprobatrices que nous avons le regret de ne comprendre que sur un plan très général.

— Vous causez français ? lui demande Béru sans cesser de dégarnir sa vessie.

La dame s'essaie dans notre dialecte, avec plus ou moins de bonheur, usant son peu de vocabulaire à malmener et à flétrir les mœurs de l'Hexagone.

Son Excellence la stoppe :

(1) J'ai oublié de te dire, depuis le début de cet ouvrage qui marquera un tournant dans les lettres françaises, que les titres de chapitre, comme souvent, n'ont aucun point commun avec le texte qui les suit. Ils sont là uniquement pour ma satisfaction personnelle. Mais s'ils te font chier, tu peux soit les gouacher, soit les biffer au crayon feutre épais.

— Dites, votre toutou, s'il voudrait licebroquer, vous l' laissereriez faire cont' c't' arb', non? Alors pouvez-vous-t-il me dire en quoi la pisse d'homme est moins hyginique que celle d'un cador, chère p'tite maâme?

Elle continue d'en balancer, la vioque. Ce qui défrise mon pote. Comprenant qu'il n'endiguera la fureur de cette excellente Zurichoise qu'en usant de la manière forte, il se détourne de l'arbre pour lui exzober le corps du délit.

— Si j' vous laisse caresser le joli zoiseau que voilà, ma jolie, vous m' donnereriez combien? demande-t-il ingénument.

La mémère au chapeau vert est abasourdie par la surdimension de ce qu'on vient de lui montrer. Un braque de quarante centimètres, elle savait même pas que ça pouvait exister. Aucun des ouvrages d'anatomie qu'elle a eu l'occasion de feuilleter n'a jamais mentionné un tel phénomène.

— Vous comprenez bien, petite maâme que quand t'est-ce on promène devant soi une bannière d' ce calibre, on est obligé d'y obéir, conclut l'Enorme.

Et ayant achevé de s'égoutter, il remise sa lance d'incidents ou d'incendie dans le nid de cigogne de son Eminence grise et nous poursuivons notre marche, diurétiquement interrompue, vers le 88 de la vaste artère paisible qu'est Grossbrakstrasse, dans le quartier résidentiel (mon mari!) de Zurich.

— T'as des nouvelles du noirpiot? questionne Alexandre-Benoît.

— Je viens d'appeler l'hosto : il est toujours dans le coma et on ne me laisse guère d'espoir.

— Quand j'ai amené av'c moi sa femme, de Paris, elle me disait tout l' long comme quoi elle allait l' sauver avec des recettes cont' les coupures qu'ils ont là-bas dans leurs cases.

— Tu parles d'une coupure ! soupiré-je. Une lame de dix-huit centimètres dans la région du guignol, ça te gêne un peu pour tousser ! T'as conduit leur portée de négrillons à la maison ?

— Naturliche comme ils disent ici. Ta maman, tu voudras qu' j' te dise ? Une sainte ! Se farcir c't' escouade d'ouistitis, à la tienne ! Qu'à peine arrivés y s' sont mis à sortir les meub' d' vot' salon pour se construire une cabane ! Qu'est-ce tu veux : les rédités, mec, ce sont les rédités ! Chez eux, y vivent dans les arb'.

J'écoute mon pote avec délectation. Je raffole de sa musique. Solo d' hélicon basse ! La sonorité du con à l'état brut ! Après le drame, j'ai eu besoin de me raccrocher à la vie.

L'esprit de conservation conduit à toutes les lâchetés. Pendant que Jérémie perdait la sienne, moi je m'occupais du confort de la mienne. Le poignardage de M. Blanc m'accable ? Vite, remontons-nous le moral grâce au tonus de Bérurier ! « Allô, Gros ? Besoin de toi, radine ! » Il a grommelé « Banco », mais il s'est pointé avec plein de chiens de sa chienne, le Dodu. L'en avait sec de ma trahison. Il dit que je le trompe avec un enfoiré de négus. Que je me suis entiché d'un Sénégalais de chiottes, juste bon à balader, de la pointe du balai, des merdes sur les trottoirs. Alors il me monte sa présence en épingle. Le retour d'Eliott Ness ! Tu me reveux ? Me r'v'là, mais va falloir filer doux, mon drôle ! Le fait que Jérémie soit à l'agonie atténue un peu ses rancœurs. Un mourant, tu peux pas trop lui déclarer la vendetta, faut admettre.

Et voici-voilà le 88. C'est un buildinge en verre fumé d'une douzaine d'étages. Une entrée magistrale, en marbre noir. Des motifs d'acier. Des plantes qui font semblant d'exubérer. Un fronton avec des lettres chiadées, design, tu comprends ? « American Bank Company ». Dans le hall de réception, des guichets sophistiqués, en verre et acier. Des éclairages tamisés. Ambiance feutrée. C'est onctueux, presque morbite à force, kif un *funeral house*.

Je me pointe aux renseignements, là qu'une pin-up qui a fait ou fera le poster central de *Play-Boy* lit un article passionnant sur la fausse couche chez l'escargot du Nebraska.

Je toussote, manière de l'alerter, mais elle file jusqu'au bout du paragraphe avant de lever ses prunelles féeriques sur moi.

— Vous désirez ?

— J'ai rendez-vous avec M. Murchinston.

— De la part ?

— Commissaire San-Antonio.

— Comme la ville ?

— Sauf qu'il y a un tiret entre San et Antonio.

— Tiens, pourquoi ce tiret ? demande-t-elle.

— Parce que je l'ai mis, expliqué-je longuement.

— C'est intéressant, convient-elle.

— Très. Y a rien eu de plus sensationnel depuis le suicide d'Adolf Hitler dans ce bunker de la Chancellerie.

Elle me délicate un joli sourire qui contracte je ne sais quel muscle embusqué dans mon slip. Et puis la voici qui manipule un bigophone tellement moderne et chiadé que je serais mort de faim avant d'avoir trouvé le moyen de l'utiliser pour me commander un sandouiche pain-de-mie-jambon-beurre.

Elle obtient quelqu'un qui lui obtient quelqu'un qui lui obtient quelqu'un qui lui conseille de patienter. Vingt et une secondes plus tard, on a le feu vert pour grimper au quatorzième étage, ce qui t'indique que je me fourrais le doigt dans l'œil jusqu'à m'en grattouiller l'anus depuis l'intérieur en t'annonçant trop hâtivement que l'immeuble mesurait douze étages.

M. Peter Murchinston, même si tu ne le voyais que de dos en train de déféquer, tu saurais qu'il est états-unien. Plus américain que lui, y a que la bouffe à MacDonald. Carré de partout, cheveux gris, brillants, coupés court, nez large, teint allumé, vêtements fripés, il annonce la couleur, cézigue. Le drapeau étoilé planté à côté de son bureau, comme un pébroque de grand hôtel dans son porte-parapluies est superflu. Une tronche pareille, c'est de la franchise ! Il était fait pour être yankee, comme Dullin pour jouer l'Avare. Note que c'est précisément parce qu'il l'est, yankee, qu'il se traîne cette frime. M. Murchinston père peut dormir tranquille, sa bonne femme lui a pondu un chiare sans le concours de leur laveur de vitres portoricain.

Comme il a de la converse, à notre entrée, il nous crie « Hello ».

Pour ne pas être en reste je lui déclare : « Que c'est gentil à lui de bien vouloir distraire un peu de son précieux temps pour nous recevoir et que je me permets de lui présenter l'officier de police et ancien ministre Alexandre-Benoît Bérurier. »

Il refait « Hello » pour nous signifier qu'il biche comme cent poux dans la culotte d'Alice Sapritch, nous désigne deux fauteuils et se rassoit.

Alors je dépose mon petit problème sur le coin de son bureau (en verre noir, bien sûr).

— Dans ce merveilleux organisme qui apporte à l'Europe ce que la grande Amérique a de plus spirituel, c'est-à-dire, son système bancaire, vous bénéficiez de voitures de fonction, n'est-il pas ?

— Yé ! commente le sous-directeur de l'American Bank Company.

— Ce que j'ai à vous demander, cher monsieur

Murchinston, est à la fois simple et compliqué : en 1973 vous disposiez, dans votre parc automobile, d'une Cadillac dont voici l'immatriculation.

Je dépose un bristol dactylographié devant lui et continue :

— Bien que quelque quinze années se fussent écoulées depuis, il est primordial, je répète primordial, que je connaisse le nom de la personne qui s'en est servi à la date du 23 juillet de cette année 73.

Un temps.

Murchinston chausse de grosses lunettes d'écaille pour lire les lettres et numéros de la fameuse plaque. Mais ça ne doit pas évoquer grand-chose dans son esprit car il repose ses besicles comme un chirurgien coupe l'arrivée de l'oxygène à un mec en cours de réanimation dont l'éclectrocardiogramme est devenu aussi plat que la Hollande.

Moi, manière de le stimuler, je lui injecte quelques centimètres cubes de sirop de vanité.

— Je sais que les recherches ne vont pas être commodes, monsieur Murchinston, mais je sais aussi que vous autres Américains ne vous laissez jamais brimer par les difficultés.

Il ne réagit pas. Il pense et, pour ce faire, a arrêté de mâcher le chewing-gum gonflant sa joue droite. Respectons sa méditation. Et puis voilà qu'il décide de presser un bouton.

— Anita ? murmure-t-il. Venez !

Il raccroche. Son fauteuil étant pivotant, il se propulse de gauche à droite, ce qui produit un léger grincement agaçant. Cette fois, son esprit étant repassé au vert, il peut mastiquer son éjaculation d'hévéa en toute quiétude. Le ronfleur de sa lourde ressemble à certains rots de Bérurier, quand celui-ci fait dans la discrétion. Murchinston libère l'entrée et alors, oh ! pardon, docteur : attention les yeux ! La gonzesse qui entre dans le bureau a dû provoquer davantage d'infarctus qu'il n'y en a eu depuis l'invention du cholestérol.

Bérurier en laisse choir son chapeau et moi, j'ai soudain l'impression d'avoir un rat dans mon calbute, mais c'est une simple réaction de mon pote tricotin, lequel est hypersensible.

Une gonzesse pareille, c'est un vrai spectacle ! De longs cheveux qui lui dévalent jusqu'à la taille et qu'elle sépare dans le milieu. Un teint d'abricot. Des pommettes saillantes, une bouche plus belle que la chatte de ta femme. Mais surtout ya yaïe, oui, surtout : les yeux ! Une couleur comme ça, n'importe quel caméléon se meurt : vert d'eau, avec un zest de bleu azur, et une auréole gris perle. Les cils sont longs, les sourcils minces au contraire, et obliques...

Pour compléter l'extase, je suis bien obligé de t'informer qu'elle est grande, avec des jambes fabules. Mais je te garde pour la bonne bouche ses jumeaux du diable. Des loloches de cette ampleur et aussi bien formés malgré leur dimension, j'en ai vu qu'une seule fois, et encore c'était dans un rêve, une nuit où j'avais trop picolé. Moi, pour me goinfrer de ces deux machins, je sortirais du goulag ! Je quitterais mon sous-marin par la porte de service, en douce, pendant qu'il est en plongée ! Je passerais des vacances avec Le Pen ! Je laverais la vaisselle ! Je me ferais tailler une pipe par la reine Fabiola ! Je lirais toute l'œuvre de Robbe-Grillet ! Et bien d'autres supplices encore !

Une occasion pareille, elle est à saisir à deux mains. Tu joues de la cornemuse avec un instrument commak ! Tu pars en voyage entre deux seins aussi prodigieux.

Dis, il peut travailler avec cette somptuosité déambulatoire, le Murchinston de mes deux ? Il peut faire autre chose que de s'installer entre ses jambes, à la miss Anita ? Mais alors, il est eunuque en plus d'américain, ce pauvre bonhomme !

— Ces deux messieurs ont un petit problème. Vous seriez gentille de les aider à le résoudre.

Voilà ce qu'il bonnit à la princesse. En cuir, elle est loquée, ma prochaine maîtresse (car l'avenir sans elle ne serait plus qu'un interminable purgatoire). Cuir noir avec des motifs de daim beige clair incrustés. Sur Mme Thatcher ça paraîtrait sûrement bizarre, mais à elle, ça lui va admirablement.

Bérurier qui ne l'a pas quittée de l'œil depuis son entrée dans la pièce ne cesse de balbutier, sur un ton d'oraison :

— Dieu de Dieu ! Dedieu de Dieu de Dieu !

Murchinston nous prend congé dans un état second en ce qui me concerne. Il me tend mon bristol, je crois que c'est la main et je lui écrase le papelard dans la pogne. Renverse ma chaise. Marche sur le chapeau de Béru. Lequel me chuchote en le ramassant :

— Tu m'en laisseras un morcif, mec, quand tu la caramboleras ?

Il a des larmes de convoitise dans les yeux. C'est si intense, tout ça, comprends-tu ? Faut y vivre pour piger.

Elle marche devant nous et son fabuleux popotoche écrit huit milliards huit cent quatre-vingt-huit millions huit cent quatre-vingt-huit mille huit cent quatre-vingt-huit, depuis le bureau de Murchinston jusqu'au sien, cependant assez proche. Cette nière, je me demande comment elle a pu arriver sans encombre jusqu'à ce jour, belle et bandante à ce point ! Y a donc plus d'hommes sur notre planète, ou quoi ?

Elle ne nous fait pas asseoir mais se plante au milieu de la pièce, croise les bras par-dessous ses dix kilos de super-glandes et nous annonce qu'elle nous écoute.

Je repasse en seconde séance pour un nouveau récit de tu ramènes : la voiture, le numéro minéralogique que voici, le 23 juillet de l'an de grâce 1973, et t'essaieras et t'essaieras.

Ce qu'il y a de fascinant chez cette personne, c'est son physique, certes ! Mais il est transcendé par une formidable intelligence. Ce regard qui éblouit par sa lumière et ses couleurs se plante dans le vôtre et va capter vos pensées les mieux embusquées.

Dès que j'ai achevé mon exposé, elle murmure :

— Primo, dans les voitures de service, les Cadillac sont réservées aux directeurs de la compagnie. Depuis la fondation de notre maison, ceux-ci sont au nombre de trois. L'établissement a été créé en 1971. Je puis vous dire les noms des trois chefs placés à la tête des trois divisions.

Elle va prendre un livre richement relié, comme seuls les Suisses et les Ricains savent en réaliser pour célébrer la gloire et le prestige d'une entreprise. Couverture plein cuir au sigle de la société, papier couché, photos couleurs, lettrines artistiques.

Après la page de préface du Président Richard Nixon, après la profession de foi d'un certain Archibald H.G.W. Greenpeace, s'étalent trois photos en médaillon placées en triangle. Celle du haut représente Stanislas John Leczinsky, président-directeur général, beau con au regard de boxer bringé, grassouillet et blondasse. Au-dessous, à gauche, je te présente Steve Hooverhoufermer, directeur du service de privatisation, un gars à bouille d'éleveur de chevaux qui doit jouer au golf et manger des cornes-flasques à son petit déjeuner. Il ressemble à Lee Marvin à jeun. A droite, Diego de la Puente, un arriviste brun, au regard incisif, lequel occupe les fonctions de directeur du service de détergence.

— Ces trois directeurs ont changé depuis, et même leurs postes ont été occupés par plusieurs personnalités successivement, m'annonce miss Anita.

— Vous causez français, mon chou ? lui demande Béru à brûle-parfum (y en a marre de toujours faire cramer les pourpoints).

— Très mal, répond la ravissante avec un adorable accent.

— C'est very dommage, my love, biscotte j'eusse t'eu many choses à vous bonnir, déplore l'Enflé-de-partout.

Mais elle paraît peu réceptive aux madrigaux, tout au moins à ceux du Gravos.

— En tout cas, fais-je, vous estimez que c'est l'une de ces trois personnes qui a dû utiliser la Cadillac ce 22 juillet 1973.

— Sans aucun doute. Attendez, je vais même pouvoir vous indiquer laquelle.

— Vraiment ?

— En juillet et en août, c'est les vacances. On est un peu en effectifs réduits ici, et davantage en juillet qu'en août, à cause de l'Indépendance Day, le 4 juillet, que chacun tient à aller passer parmi les siens. Durant cette période, il ne reste qu'un directeur en service pour assumer la bonne marche de la compagnie.

— Youpi, fais-je, vous allez donc pouvoir vérifier, en consultant (du Maroc) vos archives, lequel de ces messieurs se trouvait de permanence à Zurich ?

— Exactement. Seulement cela va faire l'objet d'une petite enquête et il faut me laisser un peu de temps.

— Qu'appelez-vous « un peu de temps », mademoiselle Anita ?

— Jusqu'à la fin de la journée.

— Puisqu'il le faut.

On se défrime. Elle a beau se faire un visage impénétrable, la mademoiselle Miss, quelque chose me dit que je ne la laisse pas indifférente. Je sens cela à la légère lucur de lumignon qui brille dans son fond d'œil, comme une loupiote de tabernacle.

— Il est, je pense, indiscret de vous demander la raison de cette enquête, monsieur le commissaire ?

— Ah ! les femmes ! Des petites curieuses, toutes. Ça les grattouille de savoir le pourquoi et le comment des choses.

— Je pourrais me retrancher derrière le secret professionnel, *dear* Anita, mais j'ai une honnête proposition à vous faire : dînons ensemble ce soir. Vous m'apporterez le renseignement que j'attends et moi, en témoignage de gratitude, je vous raconterai l'essentiel de cette histoire.

Elle ne sourit pas, réfléchit deux secondes au moins et murmure :

— D'accord.

— Je connais à peine Zurich, avoue-je, pouvez-vous m'indiquer un établissement digne de nous alimenter ?

— Eh bien, il y a un très bon restaurant italien dans Lékrustrasse : le *Tupeutla,* tenu par Pietro Dacco de Roma.

— Huit heures, ça vous convient ?

— Parfaitement.

Je m'incline, cérémonieux un rien. Période d'apprivoisance, piges-tu ? Mettre en confiance ; le côté main au cul sera pour plus tard. Au début, Lulu, c't' un conseil gratuit que je te donne : humour léger, politesse exquise, vocabulaire châtié, popaul tenu très court en laisse. Le bécébégisme, y a rien de mieux pour attaquer une frangine. Après, quand tu la calces, tu peux y aller à mach 2 dans les verdeurs. La traiter de pétasse, de truie en rut, de basse salope et toutim, ce serait des madrigaux...

Dis-moi, beau grenadier,
à quoi te sert ce membre ?

Moktar et Adélaïde habitaient deux étages au-dessus de leur café, un appartement de deux pièces-cuisine qui ne se signalait pas par une trop grande propreté. Le logis bordélique était meublé chichement et encombré de linges sales. Il y en avait sur tous les sièges, non seulement dans la chambre, mais également dans la salle à manger et la cuisine. Quand ils voulaient s'asseoir, ils attrapaient une brassée de chemises sales, de slips souillés, de chaussettes puantes et la déposaient par-dessus un autre tas lestant une autre chaise.

Les coups de balai, c'était pour les grands jours, lorsqu'il leur arrivait d'inviter des potes à festoyer. Mais « faire » le ménage ne mobilisait pas trop leur énergie. Ils ressentaient, sans le savoir, une confuse volupté à vivre dans leur crasse, s'enivrant de leurs exhalaisons.

Après avoir fermé leur café, vers minuit, ils grimpaient chez eux, avec la recette de la journée enfermée dans une vieille sacoche de cuir. Et alors ils se confectionnaient un frichti de style maghrébin car Moktar, malgré sa moralité douteuse, observait les règles du Coran, à cela près qu'il buvait de l'alcool, mais du whisky exclusivement parce qu'il sortait d'une céréale et non de l'infernal raisin.

Ce soir-là ils « montèrent » un peu plus tard que d'ordinaire, ayant eu une tablée de francs buveurs qui ne parvenaient pas à quitter leur bistrot et dépensaient largement, ce qui incite des commerçants à la patience.

Moktar fit passer la recette de la sacoche de cuir à la boîte vide d'Ovomaltine qui leur servait de tirelire avant qu'ils n'aillent déposer l'argent à la banque. Après quoi, il se servit un whisky dont nous tairons la marque car nous n'introduisons jamais de publicité dite « rédactionnelle » dans notre prose, laquelle est parfois à louer mais jamais à vendre.

Pendant ce temps, la grosse Adélaïde avait ceint un tablier de cuisine pour préparer le repas. Elle chantonnait *La Bohème*, de Charles Aznavour, chanson pour laquelle elle avait une dilection (amplement méritée).

Elle en était à la strophe « Montmartre en ce temps-là accrochait ses lilas jusque sous nos fenêtres », quand il se produisit un fait singulier. La porte de leur chambre s'ouvrit et un homme parut, silencieux comme ce que vous voudrez, et même davantage encore. Il faisait si peu de bruit qu'on eût dit un film dont on a coupé la bande sonore.

Moktar lui tournait le dos et dégustait son (non, nous ne dirons pas le nom) avec satisfaction. Mais, depuis sa cuisine, la tenancière voyait l'homme, et l'homme la regardait en souriant. C'était un très beau garçon, blond à la chevelure bouclée serré, ce qui lui composait une espèce de casque. Il portait un pantalon bleu marine, une veste de cuir grise, une chemise de soie blanche à fines rayures bleues. Adélaïde, malgré sa trouille songea qu'il était beau mais terrifiant, à cause de son regard qui faisait penser à la mort ; et aussi, bien sûr du fusil-harpon pour pêche sous-marine qu'il tenait sous le bras, avec un doigt enroulé à la détente et la flèche indicatrice braquée sur le dos de Moktar.

Adélaïde s'immobilisa. Elle voulut prévenir son homme, mais une espèce de lacet de cuir lui serrait le corgnolon, l'empêchant même de déglutir.

Un temps infini s'écoula de la sorte. Ils ne se quittaient pas des yeux. Moktar, ce con, éclusait son scotch (car le whisky c'était du scotch) en rêvassant. Sa songerie restait indécise, un peu floue. Elle se composait d'envies plus ou moins formulées. Il avait faim, et puis besoin de baiser, ensuite de piquer un roupillon féroce. Qu'y avait-il au menu, déjà ? La grosse le lui avait dit, cependant. Oh ! oui : du taboulé, et des boulettes de mouton. Bonno ! Il la vergerait avant qu'elle ne desserve la table. Elle commençait à être blette, Adélaïde, mais elle avait toujours le coup de reins du siècle. Quand une gagneuse comme elle aime grimper au paf, il lui reste jusqu'à la fin de ses jours le « don », sans lequel un bonhomme ne s'envoie en l'air que du bout du nœud. A l'ouvrage, la grosse valait n'importe quelle pécore de magazine « artistique ». Elle jouait du chibre comme Yéhudi Menuhin du violon, et peut-être mieux, après tout. Donc il s'en emparerait dès la dernière bouchée avalée et la tringlerait sur le plancher, à genoux, sur un rythme de valse viennoise. Après quoi : au dodo tandis que la mère s'occuperait de la vaisselle.

Il leva la tête pour contempler la bête, visionner ce cul où il porterait l'estocade. Il fut stupéfait de la trouver immobile, les bras morts, le regard en hypnose. Elle matait on ne savait quoi par-dessus lui. Machinalement il se retourna et eut une secousse en découvrant l'homme au fusil-harpon. Il plongea comme un fou sur un fauteuil pour se saisir du revolver qu'il planquait.

Le type blond, aux frisettes serrées, parut ne pas broncher, et pourtant la flèche de son arme alla se planter dans la cuisse de Moktar qui poussa un hurlement tout en s'obstinant à chercher l'arme.

— Il n'y est plus ! avertit l'intrus d'une voix basse.

Il ouvrit sa veste, plongea la main dans son pantalon et tira d'un étui de cuir noué à sa jambe une deuxième flèche. Il l'introduisit dans le fusil.

Il se mouvait avec lenteur et précision, de la même manière qu'il parlait. Quelque chose d'inhumain émanait de sa personne et terrorisait.

— Avance, toi, là-bas ! jeta-t-il à Adélaïde.

La grosse femme obéit. Elle respirait fort, comme lorsqu'elle prenait son panard avec l'Arbi. Elle passa de la cuisine à la salle à manger et se risqua à demander :

— Qu'est-ce que vous nous voulez ?

Son julot était resté agenouillé ou presque, accagnardé au fauteuil, gardant allongée la jambe dans laquelle était profondément plantée la flèche. Une douleur intense, brûlante, le défigurait.

L'homme prit un coin de la nappe sale sur laquelle le couvert était dressé et fit place nette avant de s'asseoir sur la table.

Ses yeux cruels allaient de Moktar à sa concubine. Il balançait une jambe.

— Zurich, 1973, annonça-t-il. On règle les comptes !

Le duc de Bordeaux ressemble à son frère.

Belle ambiance au *Tupeutla*. Sur les murs peints à fresques, t'as droit au Vésuve, à la grotte de Capri, à la tour de Pise, au Pont des Soupirs et au Colisée. Des bouteilles de chianti, d'énormes salamis, des jambons de Parme marqués du drapeau italien forment une guirlande tout autour de la salle. En fond sonore, évidemment, toutes les mélodies napolitaines sur boucle. Les serveurs portent tous des gilets rouges et des bonnets à pompons. Sympa. Tu te crois à ce point en vacances que t'as plus besoin de partir en Ritalerie.

A peine viens-je de m'asseoir à ma table que je suis obligé de me lever car Anita arrive. *Mamma mia!* Elle passe pas inaperçue, espère. Les nuques affligées d'arthrite craquent quand elle passe comme si elle marchait sur des biscuits répandus.

Elle porte un ensemble bleu des mers du Sud (j'habille souvent mes héroïnes dans cette couleur à cause de ce nom qui chante) et elle a pour tout bijou un tour de cou Bulgari dont le médaillon est un tétradrachme d'argent (l'avers représente l'effigie de Bugnazé II de Macédoine et le revers le Quadrige des Lanciers). Elle est éclatante, sublime, époustouflante ; attends, qu'est-ce que je pourrais ajouter ? T'as pas un dictionnaire des synonymes ? Non ? Ben achète-z'en un, tu compléteras toi-même. S'afficher avec une déesse de ce calibre, crois-moi, ça la fiche bien.

Avant de venir, j'ai eu une scène épouvantable avec Béru, lequel entendait être de la fiesta et me traitait d'égoaste (il me met jamais de tréma sur le « i » d'égoïste). Il m'a fallu déployer beaucoup d'autorité et de diplomatie pour le convaincre qu'un beau coup ne se partage pas, du moins au départ et que je devais baliser le terrain d'abord, ensuite il jouerait sa carte. Le concierge de notre hôtel m'a indiqué la rue aux putes. J'ai transmis le renseignement à mon pote, plus un talbin de cinq cents pions en lui recommandant de marchander et de me rendre la mornifle.

— Merci d'être là et d'être aussi belle, fais-je d'un ton pénétré, comme si je prononçais l'horloge funèbre du maréchal Pétain.

Elle me sourit. En voilà une qui sait se farder ! Note qu'elle pourrait se passer du feu des artifices, la chérie. Se maquiller, dans son cas, c'est un must.

On passe la commande. Je vais te parodier les *books* ricains, où t'as toujours un couple qui va au restau et t'as droit à leur menu. Ces nœuds volants prennent immanquablement un poulet frit avec une tarte au foutre et un double bourbon manière de se blinder le tube. Nous on est civilisés, alors on choisit deux melons-Parme, et des pâtes vertes en gratin, avec une boutanche de Barollo.

Toujours galant à chier sur la moquette, tu penses que je me garde d'entrer dans le vif de mon problème. Non, non, on a le temps, Fernand. Faut de la converse, du rond de langue, de l'humide.

— Vous êtes américaine ?

— Par mon père, mais ma mère est suisse.

— Superbe croisement, béé-je, surtout ne perdez pas la formule !

Et bon, son histoire t'intéresse ? Attends, je t'en fignole une à la main. Voilà : elle a été élevée aux States, mais quand elle a eu seize ans, ses parents ont divorcé. Alors elle est venue s'installer en Suisse avec sa mère qui, quelques années plus tard a épousé un avocat d'affaires maître Schmeurk, tu te rappelleras ? Elle a fait ses études au gymnase de Zurich. Vacances à Boston pour voir son papa, lequel est dans la banque. Qu'est-ce que tu dis ? Pas Boston ? Tu préférerais une ville de la côte Ouest ? Alors, on dit San Francisco et m'emmerde plus.

En tout cas, est ou ouest, son dabe est forcément dans la banque puisque c'est lui qui lui a fait obtenir ce poste de secrétaire principale de direction à l'A.B.C. (American Bank Company) Elle a vingt-sept ans, ou plutôt elle les aura dans deux mois. Non, elle n'est pas mariée, étant devenue la maîtresse d'un médecin spécialisé dans les voies respiratoires, qui lui l'est, avec six gosses en prime. Leur histoire est en train de s'achever. Tu ne peux pas jouer toute ta vie les amantes résignées qu'on vient calcer à la sauvette entre deux visites et qu'on emmène avec soi une fois l'an dans des congrès pour les laisser lire l'annuaire des téléphones de Rome, de Manille ou d'Acapulco pendant que tu vas faire le géant aux séances. Pas plus tard qu'avant-hier, elle lui a donné son sac, au toubib ! D'autant plus volontiers qu'elle a découvert qu'il pointait son assistante, une blonde salope d'origine suédoise, tu penses ! Le feu au train, ces pétasses nordiques.

Bref, jolie histoire, hein ? Valable, moi je trouve. Si tu as mieux, je suis preneur. En tout cas j'arrive à pic dans sa vie, Anita. Un zob chasse l'autre, comme le dit toujours la reine Mary d'Angleterre, avec ce beau sourire farineux qui fait mouiller mes potes de *Jour de France.*

Ma sublime, ça la soulage, cette confession express. Gros sur la *potato,* elle avait. Comment se peut-ce qu'un julot néglige une fille de cette bioutifoulerie, ça je me demande ! Il est pervers ou quoi, son spécialiste des soufflets ?

Je lui prends la main, manière de commencer sans plus tarder ma thérapie de réconfort. Pas une seconde à perdre, je suis seulement de passage.

Pietro Dacco, le patron, un gros ténébreux qui se croirait déshonoré s'il parlait autre chose que l'italien dans sa boîte, nous apporte lui-même une assiette de rondelles de tomates équipées d'une tranche de mozzarelle, le tout vinaigré à souhait. Ça crée la diversion salutaire.

— A propos, commissaire, fait Anita, imaginez-vous que j'ai votre renseignement.

— Pas possible ?

— Avant de me perdre dans des exhumations de fiches et de cahiers, je suis descendue à notre parking, interroger le père Müller qui en est le gardien depuis la création de l'A.B.C. C'est un vieux Suisse des Cantons Primitifs, tatillon et scrupuleux, auquel rien n'échappe. Il veille sur le parc automobile de la compagnie comme sur ses économies. Il a vérifié sur son livre de bord, mais déjà il avait la réponse en tête. La Cadillac qui vous intéresse a été mise à la disposition d'une « huile » venue des U.S.A., en tournée d'inspection : un certain Ron Silvertown.

— Vous permettez ? dis-je.

Je tire un mignon carnet de ma fouille, pourvu d'un encore plus mignon porte-mine en argent ancien ; l'antiquaire qui me l'a fourgué prétendait qu'il avait appartenu à la princesse de Clèves ou à

Raymond Poincaré, il savait plus très exactement. Vitos, je note le blaze du pékin en question.

— Il est toujours dans les hautes sphères de votre boîte, ce gazier, ma chérie ?

— Non, il paraît qu'il a poursuivi son ascension et qu'il est à présent à la tête d'un véritable empire des affaires.

— Vous avez une idée de l'endroit où il crèche ?

— J'ai entendu dire qu'il habitait Miami une grande partie de l'année et qu'il possédait un appartement à New York ; si la chose vous intéresse, je peux vous obtenir des renseignements plus précis ?

— Volontiers. Et alors, comment se fait-il que votre père Müller se souvienne, tant d'années après, que cet homme utilisait la Cadillac de cérémonie ?

— A cause d'une succession d'incidents qui lui sont restés en mémoire.

Elle tire de son sac à main une fiche de carnet à souches réclame vantant les fabuleux mérites de l'A.B.C.

— Le 24 juillet 73, Müller a constaté qu'une aile de la Cad' était légèrement défoncée. Il a signalé la chose à notre chef d'entretien qui lui a recommandé de confier la voiture à un carrossier, sans importuner Silvertown. Mais, quelques jours plus tard on a téléphoné à Müller pour lui demander le nom et l'adresse du conducteur ayant causé un accident sur une route de Savoie, le 23 juillet. Müller a fourni le renseignement en question.

— Qui l'appelait ?

— Une femme. Elle prétendait être la fille d'un certain Thomas Dugadin, la victime de l'accident en question. Müller n'a plus jamais entendu parler de rien. Il a failli, malgré l'interdiction qu'on lui en avait faite, parler de la chose à Silvertown ; ce qui l'a retenu, c'est la personnalité de ce dernier : un homme glacial qui ne lui adressait pas la parole et paraissait ne pas le voir derrière ses lunettes à verres fumés.

— Vous avez fait de l'excellent travail, Anita.

On nous apporte notre melon-Parme. Le melon est fruité, le Parme fondant. Le serveur m'a fait goûter le picrate, comme il se doit et a empli nos verres. Je lève le mien, ma compagne m'imite. On trinque.

— Santé ! fait-elle.

— A l'inoubliable nuit que nous allons probablement vivre, m'enhardis-je.

Tu crois qu'elle proteste ? Simplement elle me sourit, un beau sourire tranquille qui accepte les sortilèges de l'existence.

Après les hors-d'œuvre et en attendant le gratin de pâtes *verde,* je demande :

— Où pensez-vous que soit descendu ce Silvertown pendant son séjour à Zurich ?

— A la *Résidence,* très probablement.

Elle m'explique qu'il s'agit d'une maison de maître luxueuse du quartier huppé de Zurich où leur compagnie héberge les clients de marque. Cela fait partie du standinge de l'A.B.C.

J'en inscris également l'adresse, et puis bon, ça suffit comme ça, on moule un moment le turbin pour penser aux choses de la chair. Je lui explique que ma chambre du *Kratzmela Hotel* est très coquette, avec un lit à baldaquin et vue sur le lac ; salle de bains en marbre noir, robinetterie dorée que ça représente des dauphins ; pour te donner une idée du luxe ! J'ajoute qu'elle comporte un réfrigérateur bourré de champagne. Et que moi, d'après ce que je prévois, je compte bien en écluser une demi-bouteille en me servant de son frifri comme coupe. Là, d'entrée, ça la laisse rêveuse, Anita, pareil langage. Elle comprend qu'elle est tombée sur un garçon qui ne tire pas son coup à la papa, mais qui sait créer les rarissimes ambiances. Son glandu des voies respiratoires, elle saura dans une plombe que c'était de la pure gnognotte. Du paltoquet d'alcôve. Un besogneux de la brosse !

Le gratin de pâtes est une splendeur. Le patron qui nous a à la chouette exige qu'on goûte à son *grappa* pour finir. Bon, on trempe nos lèvres dans le godet, pas le contrarier.

En route, Bébert ! J'ai des émois qui me tiraillent le calcif, donnent de la raideur à ma démarche. Mais en Suisse allémanique, ça passe inaperçu. Malgré cette bandouillerie préalable, je pense fort à mon pauvre Jérémie. Va-t-il s'en sortir, le grand bougre ? De toute manière, j'aurai la peau de son agresseur. Le fait qu'il se fût trouvé à la ferme de l'oncle Tom prouve que, lors de la première opération chez le vieux, les gredins n'ont pas découvert ce qu'ils cherchaient puisqu'ils sont revenus sur les lieux de leur forfait.

— A quoi pensez-vous, Antoine ? gazouille Anita.

— A nous deux, ma tendresse, menté-je précipitamment.

— Vous avez failli à votre promesse, déclare l'extra-belle.

— Moi ?

— Ne deviez-vous pas me raconter votre enquête ?

— Nous aurons tout le temps « après », déclaré-je.

Et j'enserre sa taille d'un bras invincible.

Elle apprécie terriblement le gag du champagne. Faut dire que c'est plaisant. Seule fausse note : celui dont j'use est bouchonné ; mais quoi, à la guerre comme à la guerre, non ? La recette, je l'ai lue dans une revue, y a lulure. Me rappelle pas si c'était dans *Le Pèlerin* ou *Le Chasseur Français*. Elle nécessite une certaine agilité de la partenaire puisqu'elle doit faire l'arbre fourchu. Quand elle a bien trouvé son équilibre, tu lui aménages bien la case trésor et tu verses le champagne autant qu'elle est capable d'en contenir. Après quoi, tu bois. En principe, un quart de Pommery suffit. Mais tout dépend de la dadame. Il est évident que si tu entendais pratiquer cette figure amoureuse avec Berthe, il te faudrait un magnum, voire un jéroboam.

J'achève d'écluser mon quart de champagne lorsque la voix placide du Gros nous courjute :

— A ta santé, mec ! Si miss Mademoiselle le permettrait j' trinquerais bien av'c toi !

J'ai complètement oubié que nous disposions de chambres communicantes, le Gros et moi, et, dans ma frénésie sensorielle, j'ai omis de tirer le verrou.

— Espèce de butor ! clamé-je, furieux. Voyeur !

Le Mastar ne se départit pas de sa sérénité.

— Tu permets ! tonne-t-il. Service des urgeries !

Il me cligne de l'œil.

— Passe un instant dans mon cabinet d' travail, j'ai à t'causer. Escusez-nous, ma petite demoiselle : le boulot, c'est le boulot, on vous finira t't' à l'heure.

Et nous voici dans la chambre de l'ancien ministre.

— Eh bien ? je demande.

— Quand c'est qu' tu m'as z'eu quitté, j' sus été me respirer une p'tite gamine du quartier des putes : Lola, une personne charmante, blonde, avec des bottes d' cuir et un cul plus large qu' çu d' ma Berthe. Lorsqu' je j'y ai déballé mon outil, elle a poussé des cris et a appelé des copines, leur faire constater. On s'est bien marré : une vraie partie de golf dix-huit trous.

— C'est pour me raconter ça que tu as interrompu mes ébats, espèce de grosse pantoufle !

— Non, pour te dire que j'ai téléphoné à l'hosto de Chambéry. Ton négro, je suis pas fana, mais ça m'ennuirerait qu'il calanchasse.

— Il est mort ?

— Au contraire. Paraîtrait que sa julie y a conflexionné une onguent à base de noix d' coco, d' graisse d' mouton, de piment pilé et de bananes écrasées. En douce des toubibs, elle l'a badigeonné, son mâchuré, et y aurait d' puis lors comme un mieux. Faut dire qu'elle prononçait en même temps des paroles magiques de chez eux. Son dabe, à la Ramadé, il est sorcier d' profession dans leur bled.

— Merci de ce que tu me racontes, Gros. Pour lors, oui, ça méritait que tu chanstiques ma partie fine. Qui t'a racconté ces choses réconfortantes ?

— Le commissaire Bavochard. Y s' trouvait au chevalet de Jérémie quand j'ai turluté. Y d'mande qu'on l' rejognisse dare-dare car ils sont sur la piste du mec qui a rectifié ton négus.

— Vraiment ?

— Le vaurien a eu un sac d'embrouilles et maintenant toute la Criminelle de Savoie et d'Haute-Savoie lui est aux trousses !

Ravi d'apprendre la chose ; j'aimerais me trouver parmi les troupes d'intervention qui sauteront ce fumier. Prie ma déesse de m'excuser un instant encore, il faut que je joigne notre collègue.

Je me fais une bigophone partie pas piquetée des charançons. Renseignements internationaux pour obtenir le numéro de la Poule chambérienne, après quoi valse dans des services en veilleuse où on te répond avec maussaderie ; tout ça pour apprendre que Bavochard vient de rentrer se pieuter. Et les malins de là-bas veulent rien chiquer pour me donner son fil private. Consignes, consignes, comprends-tu ? Ils ont la meilleure des argumentations : ils prétendent l'ignorer. Commissaire San-Antonio leurs miches ! Ils en ont rien à cirer des supermen parisiens, ces braves. Ne sont pas à l'unisson du brigadier Lechibré, eux. Zorro, ils lui offrent une mominette ou un canon de Roussette, et puis basta, à la revoyure ! Alors, je remets la gomme avec les renseignements. Mais Bavochard, le saligaud, ne figure pas dans les annuaires. Il tient trop à sa quiétude bourgeoise, le chevalier du contrepet.

Au moment pile que je renonce, un grand cri part de ma piaule. Moi, naturellement, de m'y jeter comme un désespéré se défenestre.

Tu sais quoi ? Oui ? T'as tout compris ? Ben, fatal, c'est la vie, que veux-tu. Bérurier est en train de planter miss Anita. La tenue de cette demoiselle, son début de fade avorté, il a poursuivi mon œuvre, le Monstrueux. P't' être qu'elle a regimbé au début, mais lorsqu'il lui a eu montré son casse-noix géant, elle s'est soumise, la môme.

Une qui aime le paf, d'en dégauchir un pareil à portée de fesses, comment veux-tu qu'elle résiste ? Au premier ras le bord elle croit rêver, pense à quelque prothèse pénienne, est tentée de vérifier. Puis, constatant que c'est de l'extra-vrai, entièrement fait en viande d'homme, elle oublie l'inséminateur, son bide, sa trogne, sa malodorance, ses dessous en haillons pour se laisser fourrer princesse. La curiosité sous-jacente ! Le côté, se pourra-ce ? Parviendra-t-il, cet énorme Médor à faire coucouche panier ? Bien sûr, d'emblée, la chose semble impossible. Elle est douloureuse. Mais tu te piques au jeu, salope comme te voilà, baisant sans cesse. Tu t'escrimes, tu lubrifies. Le monstre va de l'avant, sans forcer trop, sachant bien que la victoire finale dépend de sa patience et de son obstination. Il pousse son avantage. La résistance s'affaiblit progressivement. Et l'instant du triomphe arrive ! Pure apothéose. Hip, hip, hip, hurrah ! Il a gagné le sublime Gros, avec sa queue d'âne tellement rébarbative ; il l'a casé une fois de plus, son braquemard géant que toutes les facultés de médecine du monde ont retenu à l'avance.

Elle a la chaglatte vachement exorbitée, Anita. La frime, par contre, en révulsance infinie. Toute crispée par la violence d'une telle étreinte ; presque tragique, il semblerait. Bérurier donne de la poupe. Il pompe à grandes secousses organisées, en mâle surpuissant qui connaît son affaire. A peine il tourne la tête de mon côté. M'adresse un clin d'œil complice. Non, pas complice, « d'excuse ». Hiérarchiquement, il n'aurait pas dû, il le sait. Fait appel à notre vieille amitié. Plaide la faim jamais rassasiée, l'occasion, l'herbe tendre (et frisée).

Oui, oui, très bien, O.K., je te le répète : c'est la vie. Je vais pas péter une pendule pour un détournement de coup ! Qu'il s'éclate bien, le Gros, et la gentille Anita idem, à la santé de son toubib qui, tout compte fait, n'a peut-être pas été si mal inspiré que ça en restant dans ses foyers.

Je sors.

La nuit est brumeuse, comme je les aime. Y a du halo vaporeux autour des lampadaires. Presque plus personne dans l'avenue. Tout est riche en Suisse, et également le silence. C'est pas le silence de n'importe où. Il ne résulte pas d'une absence de bruits, mais d'une volonté de confort. Il est prévu, organisé comme le reste, comme tout ce qui participe de la vie courante.

Je m'arrête devant « la Résidence » et je suis impressionné par l'importance, le luxe de la construction. En pierre de taille, elle se dresse, opulente, au milieu d'un petit parc richement arborisé. Une vaste grille noire la clôt (comme Choderlos de) ; superbe portail à motifs qui fait presque la pige à la porte Stanislas de Nancy.

On voit de la lumière au second étage, qui est aussi le dernier, alors, malgré l'heure tardive pour l'Helvétie, je carillonne. Une cloche sonne, sonne, sa voix, d'écho en... Mais qu'est-ce que je débloque, moi ! Presque immédiatement, les rideaux aveuglant la fenêtre éclairée sont tirés, une silhouette se dessine, puis on ouvre la croisée et un homme me demande en schweizerdeutsch ce que je veux, du moins je le présume car je ne pratique pas cette maladie du larynx.

Laconiquement, je réponds :

— Police !

En général c'est le parfait vademecum. Une fois de plus, les six lettres suffisent ; l'occupant de la Résidence me baragouine un truc pour m'annoncer qu'il descend.

On ne peut pas s'attendre à une telle apparition ! Tu connais Clérambard, la fameuse pièce de Marcel Aymé ? Non, puisqu'on est inculte de père en fils dans la famille. Tant pis, je retrousse les manches de ma machine à écrire et je te dépeins l'homme qui vient m'ouvrir le portail. Un vieillard très grand, très maigre, très chauve avec toutefois une couronne de cheveux blancs qui s'ébouriffent autour de sa tête qu'elle semble emballer. Un visage aristocratique. Le nez long et tortueux. Le regard sombre. Une moustache effilée, quasi dalienne, savamment teinte en noir, ce qui crée un anachronisme par rapport à la chevelure de neige. L'arrivant porte une robe de chambre qui lui tombe jusqu'aux pinceaux chaussés de mules vernies.

Illico, je me dis en le voyant que si ce personnage est suisse, moi je suis cambodgien.

Il me questionne sur l'objet de ma visite, du moins le supposé-je.

— Parleriez-vous un dialecte plus accessible à des oreilles latines, monsieur ? je lui questionne en français.

Son visage sévère se détend.

— Grands dieux oui, monsieur. Et avec grand plaisir car je suis italien.

— Moi français, comme vous l'entendez.

— Vous prétendiez être de la police ?

— Voici la preuve de ce que j'avance.

Je lui tends ma carte. Il la refuse avec distinction, pour témoigner qu'il me fait confiance. Je lui place le petit couplet de la confusion pour la visite tardive qui, que, quoi, dont, ou...

Nouveau geste mousquetaire. Sa main diaphane achève sa trajectoire à la hauteur de mon extraordinaire nombril.

— Armando Bellazzezzeta, se présente-t-il.

Je presse avec onction les quatre crayons.

— Commissaire San-Antonio. Accepteriez-vous de m'accorder quelques minutes de conversation, *signore ?*

— Mais volontiers.

Il me guide au perron, me fait entrer dans la demeure patricienne dont la sévérité a été « corrigée » par un décorateur américain. Il en résulte une sensation de porte à faux, comme si on meublait en Louis XV un sous-marin nucléaire. C'est coloré, un peu extravagant et d'un confort douteux. Quant au goût, il n'était pas prévu sur le devis.

A la lumière adgiornesque balancée par des spots

en tas (1), je mesure combien mon hôte est un être singulier et inattendu.

— *Signor* Bellazzezzeta, fais-je, avant de vous révéler l'objet de ma visite, puis-je vous demander quel rôle vous jouez dans cette Résidence de l'A.B.C. ?

Il sourit triste.

— Le mot rôle est tout à fait indiqué, monsieur le commissaire. Effectivement, je joue un rôle, ce depuis plus de quinze ans. Je joue le rôle d'un majordome ou assimilé, moi qui suis comte et dont les aïeux possédaient un hôtel à Rome, un palais à Venise, un château dans l'Ombrie et une maison de vacances à Capri avant qu'un imbécile nommé Armando Bellazzezzeta ne perde tout cela au jeu.

Il écrase un pleur.

— Un vers de Ruy Blas me revient sans cesse, monsieur le commissaire : « Triste comme un lion rongé par la vermine. » Le lion, c'est moi ; la vermine c'est le vice du jeu qui m'oblige de finir mes jours sous la livrée d'un serviteur de luxe.

Re-larme qu'il tue dans l'œuf de son orbite, comme l'écrit Maurice Schumann dans son roman intitulé : *Saute ! C'est pas ta mère !*

— Si je comprends bien, vous vous occupez de cette demeure ?

— J'en suis le *manager,* comme disent ces affreux yankees pour qui la goujaterie est un sacerdoce.

— Vos fonctions consistent en quoi, au juste ?

— A accueillir les hôtes de passage, à veiller sur leur confort.

Il ricane et désigne l'environnement.

— Ils croient que c'est cela le confort, cela le luxe, cela la classe ! Vous vous rendez compte ?

(1) Attention ! Jeu de mot ; mets pas le pied dedans !

Mais, monsieur, je préfère les Soviets. Le Kremlin est plus noble que ce bazar !

Il pleure une lichouille, et la larme va bon train sur sa joue parcheminée car il l'a versée à l'improviste, sans s'en apercevoir.

— Monsieur le comte, vous ne voyez pas d'objection à ce que je vous interroge ?

Il chope mes mains comme tu attrapes une mouche, vlan ! Les pétrit.

— Commissaire ! RIEN ne peut m'être plus agréable. M'interroger ? Mais c'est un bonheur que je n'attendais plus. Depuis des années, des années et des années, on ne m'écoute plus. Le drame de l'âge, mon ami. A compter de soixante-cinq ans, vos déclarations comptent pour du beurre. Il est inutile que vous preniez la parole ! Entre ce que vous dites et le silence, il n'existe aucune différence ! Un vieil homme n'atteint plus les tympans d'autrui. Il peut crier, cela ne change rien. Au début de ce que je considérais comme un phénomène, je ne comprenais pas. Je montais le ton, je lançais des « permettez ! » angoissés. Mais « ils » n'écoutaient pas, « ils » ne permettaient rien. Le naufrage commençait. Le dur naufrage dans cet océan qu'est l'indifférence. Nous mourons tôt, mon ami ! Nous sommes finis longtemps avant de cesser. Alors quand vous vous inquiétez de savoir si votre interrogatoire m'importune, je me claque les cuisses. Que peut-il m'arriver de plus précieux, de plus vivifiant que des questions, quand bien même, comme je le prévois, elles ne me concernent pas directement ? Demandez, commissaire ! Demandez ! C'est de l'oxygène que vous m'apportez ! Je suis prêt à mendier des questions, moi. A mon âge, on n'a plus peur d'être lâche !

Singulier personnage qui va enrichir ma collection d'hurluberlus. J'adore épingler, au gré de ma route et des rencontres, quelques-uns de ces types en marge des routines et des sempiternelleries. Des êtres qui semblent venus d'ailleurs, provisoires, délicieusement fous et riches de cette folie.

— Donc, vous êtes le majordome de cette résidence depuis que l'A.B.C. l'a acquise pour servir son prestige, mon cher comte ?

— Donc, oui, mon brave commissaire. Cette sinécure m'a dépannée à un moment critique de ma gueuse d'existence ; depuis lors, on semble m'avoir oublié ici. J'y fais de mon mieux ce que l'on attend de moi et je perçois un traitement confortable qui me permet de soigner les maux inhérents à mon âge.

— Gardez-vous en mémoire les hôtes qui défilent dans cette demeure ?

— Peut-être pas tous, mais je crois en effet me rappeler la plupart.

— Si je vous lance un nom : Silvertown ?

— Je vous réponds que c'est celui d'un homme pas commode, froid comme la glace, dur comme l'acier et aussi sympathique qu'une crise d'eczéma.

— Il a séjourné chez vous en ?...

Le noble vieillard gamberge très peu de temps.

— 1973, déclare-t-il.

— Je vois que nous sommes sur la même longueur d'onde, monsieur Bellazzezzeta.

Un instant s'écoule.

— C'est sur votre propre initiative que vous venez me trouver ? demande-t-il.

— Mlle Anita me l'a conseillé.

— Ah ! cette belle femelle aux yeux glauques ! Malgré les ans je me sens assez vert pour lui prouver l'ardeur des sentiments qu'elle m'inspire.

— Je n'en doute pas, comte. L'âge n'est qu'un prétexte invoqué par les impuissants ; il n'a pas prise sur les hommes de tempérament.

— Bien dit ! approuve Bellazzezzeta, satisfait.

Il me cligne de l'œil.

— Si je vous disais que j'exerce un droit de cuissage sur les soubrettes que j'emploie ici ! Rassurez-vous, je ne les surmène pas, mais j'aime à satisfaire mes élans quand au détour de la journée ils me saisissent. Généralement, elles sont dociles. Elles savent ce qui les attend en venant proposer leurs services. Ça se dit vite ces choses-là. Nulle n'ignore en gravissant le perron que le vieux comte aura deux mots à leur dire. Ma réputation me prépare le terrain, m'évite des travaux d'approche toujours sots et dégradants.

Il a un beau rire paillard et lisse sa moustache avant de la faire « rebiquer » entre pouce et index.

— Monsieur le comte, revenons à Ron Silvertown. Durant son séjour ici, avez-vous eu l'occasion de constater un incident quelconque à son sujet ?

Mon interlocuteur croise ses bras hauts sous son menton et passe une tranche de passé en revue.

— Qu'entendez-vous par incident ?

— A-t-il reçu des visites qui l'auraient contrarié ? Se serait-il plaint qu'on lui eût dérobé quelque chose ?

Bellazzezzeta acquiesce au fur et à mesure j'exprime.

— Si fait, si fait, si fait, mon bon !

Mon cœur exécute un double Nelson d'allégresse. Enfin ! Je touche à l'obus, comme disait un artilleur.

— Je vous écoute, comte, ne me cachez rien, parlez ! Parlez ! Vous vous plaignez de n'être plus écouté ? Dites-vous que jamais deux oreilles n'auront été à ce point à votre disposition.

Le noble majordome me donne une tape affectueuse sur la joue.

— Cher petit ! murmure-t-il. Comme vous êtes psychologue ! Il me revient, qu'au cours de cet été 1973, une donzelle soit arrivée dans cette maison en vitupérant. Une Française, ne vous en déplaise. Il faisait une chaleur à périr, assez rare dans ce pays pluvieux. La houri a fait le siège de la maison. Elle voulait absolument parler à Silvertown « pour une affaire grave », assurait-elle. On aurait pu penser que mon hôte l'avait engrossée et qu'elle venait demander réparation.

— Silvertown l'a vue ?

— Après qu'elle l'eut attendu plusieurs heures. Il l'a reçue dans ses appartements privés, au premier étage. L'entrevue a été brève car il l'a éconduite. La pécore hurlait des choses malsonnantes. Mais elle a fini par s'en aller.

— C'est tout ?

— Que non point. Figurez-vous qu'elle est revenue à la charge le lendemain. En la trouvant sur le pas de la porte, je m'apprêtais à lui refuser l'entrée lorsque Ron Silvertown est intervenu depuis la galerie pour me crier de la faire monter. Cette fois-là, leur conversation a duré près d'une heure. En partant, la fille paraissait satisfaite et riait sous cape. Je connais les gens, commissaire, je sais détecter leurs sentiments intérieurs même s'ils ne les expriment pas. Ainsi, je vois très clairement que je vous comble d'aise présentement, vrai ou faux ?

— Très juste, monsieur Bellazzezzeta. Je suinte de satisfaction. Ma chère mère ne s'était pas saignée aux quatre veines pour m'assurer un semblant d'éducation, il serait à craindre que j'urinasse sur cette belle moquette non encore fauchée.

Il rit.

— Dieu a des gestes ! m'assure le doux vieillard. M'adresser un garçon comme vous en pleine nuit représente pour moi une marque de Sa clémence. Je me sentais si seul, ce soir. Nous devrions fêter la chose au champagne, mon bon. J'en ai toujours au frais pour des arrivées imprévues. Me feriez-vous l'amitié de trinquer ?

— Ce serait un grand honneur pour moi, comte.

Il se lève et va décrocher un tubophone intérieur. Cela sonne longuement. Puis une voix ensommeillée que je perçois vaguement demande ce qu'on désire.

— Apportez du champagne et deux flûtes au salon orange, Graziella, ordonne le comte. Inutile de vous mettre en tenue, car je suis avec un ami.

— Un bijou, m'annonce-t-il. Une Tessinoise dont le papa devait être allemand car elle est blonde comme un champ de blé. Ce Tessin subit de plus en plus une invasion teutonne qui, pour être pacifique, n'en est pas moins forte. Le Tudesque est rose, mais il aime le soleil, aussi les rues de Lugano sont-elles peuplées de porcins.

— La grosse fille qui harcelait Silvertown a-t-elle réapparu ? reviens-je à mes moutons-je.

— Jamais.

— Lorsqu'il y a eu des éclats de voix, au cours de la première visite, avez-vous perçu des phrases, voire des mots ?

Il réfléchit.

— Plus ou moins. L'Américain parlait de chantage. Il criait qu'il n'était pas un pigeon...

— Et lors du deuxième entretien ?

— Rien n'a filtré de ses appartements.

— La visiteuse tenait-elle un paquet à la main en partant ?

— Non, mais elle était munie d'un grand sac en arrivant.

— Quelle formidable mémoire, comte Bellazzezzeta ! Un homme qui se souvient des moindres détails d'épisodes sans portée pour lui est un homme qui bande !

— Oui, n'est-ce pas ?

— Vous pouvez en être certain. Le sexe et la mémoire sont des amis intimes. Autre chose encore, concernant Silvertown ?

— Oui. Un certain temps après l'épisode de la donzelle française, il s'en est produit un autre.

— Le vol ?

— Comment le savez-vous ?

— Pourquoi croyez-vous que je suis ici ?

Il aime cette légère joute où l'esprit reste en filigrane. Nous sommes comme deux vieux amis entretenant leur forme mentale par un peu de footing et qui trottent côte à côte en survêtement dans l'allée d'un sous-bois.

— Eh bien oui, le vol, mon cher. Le vol ! Celui d'une statuette gothique que Ron Silvertown plaçait sur la cheminée de sa chambre et à laquelle il tenait comme à ses yeux. Elle ne représentait pas un personnage religieux, du moins je ne le pense pas, contrairement aux statuettes de cette époque ; mais un notable en long manteau à plis, avec un visage affreux. J'ignore sa valeur, mais si vous aviez vu dans quel état sa disparition a mis l'Américain ! A croire qu'il allait devenir fou ! Il courait dans toute la maison en hurlant. Il trépignait, cassait les bibelots, fendait les portes en les claquant trop fort.

— On a prévenu la police ?

— Il n'a pas voulu. Toutefois, quelques jours plus tard, des hommes sont arrivés, qui se faisaient passer pour journalistes, mais qui devaient être en réalité des flics américains.

— Ceux-là mêmes qui ont eu un accident d'hélicoptère ?

Bellazzezzeta lève les bras.

— Pourquoi diantre êtes-vous venu, ami très cher ! Vous semblez en savoir davantage que moi.

— Je suis venu vérifier et compléter, comte.

Là-dessus (comme je dis souvement, mais la prochaine fois, je dirai « là-dessous ») la dénommée Graziella arrive avec un plateau chargé d'une boutanche de Dom Pérignon dans un seau à glace et de deux flûtes ciselées. Elle a suivi les directives de son chef et n'est vêtue que d'un slip transparent et d'un soutien-georges à cran d'arrêt. Totalement blonde ! Menue, presque gracile, mais avec néanmoins un petit fessier très convenable et deux pommes bien dures. De longs cheveux d'or, des yeux clairs, pas franchement rayonnant d'intelligence, mais quand elle les ferme pour crier « maman » en tessinois, où est l'importance, réponds ?

A son entrée, il s'établit un silence qui te permettrait d'entendre triquer un sénateur en séance. Il les choisit admirablement bien, les ancillaires, monsieur le comte.

La môme dispose les coupes, débouche péremptoirement le champagne, ce qui n'est pas à la portée de toutes les jeunes filles, nous sert.

— N'est-ce pas un enchantement ? me demande Bellazzezzeta en la désignant d'un hochement de tête.

— Pur ! conviens-je.

— Elle a une peau d'un satiné ! Touchez !

— Je n'ose, monsieur le comte !

— Je vous en prie ! Graziella, asseyez-vous sur les genoux de monsieur pour qu'il puisse vous caresser à son aise.

Docile, elle vient se percher. Auparavant, elle a dégoupillé le mécanisme de son soutien-gorge et me voilà avec ses fruits de printemps à portée de nez, de bouche, de joue et pas loin du reste. Dis, c'est un claque ou quoi, cette résidence de l'A.B.C. ? S'ils traitent tous leurs invités de cette manière, ça doit se bousculer au portillon, on prend des numéros d'appel pour venir crécher céans.

— Elle est complaisante, murmuré-je en caressant l'imperceptible duvet d'or qui ajoute au velouté de ses cuisses.

— Totalement. J'ai connu des friponnes plus expertes qu'elle, mais elle se comporte honorablement, sa sensualité se trouvant en éveil. Vous pouvez lui faire l'amour sur un canapé, mon bon. Je me retirerais, n'étant pas un vieux voyeur.

— Ce ne serait pas de refus, comte, toutefois j'aimerais que nous en terminions avec Silvertown.

— Bravo ! Vous êtes un véritable homme d'action qui ne se laisse pas détourner de son objectif par les charmes d'une petite sauterelle. Vous avez respiré cette mignonne ? Sentez-la, commissaire ! Elle fleure bon le sommeil de jouvencelle. La plus noble odeur du monde, selon moi. Que puis-je vous dire de plus concernant Silvertown ?

— J'aimerais revenir à la disparition de cette statuette gothique qui l'a si fort éprouvé. Etait-elle grande ?

— Mais non, vous dis-je : une quinzaine de centimètres.

— Avez-vous eu l'occasion de la voir de près ?

— Je l'ai même prise en main. J'aime les objets d'art et ici nous sommes dans des souks américains où l'on vend du design.

— Avait-elle une particularité ?

— Le fait qu'elle était laïque et non d'inspiration religieuse, simplement.

— Aurait-elle pu servir à dissimuler autre chose : un document, un joyau, un flacon, que sais-je ?

— Rigoureusement pas. Elle était de bon aloi, pleine, massive, taillée dans un bois dur qui défiait le temps malgré quelques vermoulures. Vous pouvez me faire confiance : je l'ai longuement admirée et je crois m'y connaître.

— Rien ne s'y trouvait écrit ?

— Sur une statue gothique ! Vous plaisantez ! Non, ne vous perdez pas en vaines hypothèse, commissaire. Il s'agissait simplement d'un bel objet d'antiquité comme il en foisonnait dans les demeures de mes aïeux avant que je les sacrifie ignominieusement au tapis vert.

La gentille môme, contrite par mon inertie, prend en loucedé des initiatives et se met à me triturer Mister James par-derrière son exquis dargiflard. Elle y tâte, c'est le cas de le dire ! Une main de velours sur un corps sain ! Je me dis que son empafage va être une pure gourmandise !

C'est chouette à travailler un petit lot pareil, souple et mobile. Tu manipules ça comme un gant de toilette. En guise d'acompte, je lui verse une rapide volée de bisous mouillés sur la nuque, puis je lui mordille le lobe. Aucune mousmé ne résiste à ces marivaudages. Elle se met à frémir comme pour un début d'épilepsie. Je fais un effort histoire de ne pas couler à pic dans la volupté. Boulot, boulot !

— Ron Silvertown était donc désespéré par la disparition de la statue ? reprends-je d'un ton en liquéfaction.

— J'ai cru qu'il allait en mourir. Ses sbires, lorsqu'ils sont arrivés, ont fouillé la maison de fond en comble, y compris ma chambre. Ils ont interrogé chacun des occupants, et avec des manières d'une extrême rudesse.

— Vous aviez votre idée sur ce vol ?

— Oui, et je leur en ai fait part.

— Je peux la connaître ?

— Il était impensable de suspecter quelqu'un d'ici. Je connais mon personnel et sais mettre à l'épreuve, discrètement, son honnêteté. Je n'emploie que des gens dont je peux me porter garant, question probité. Et puis, qui donc, dans la valetaille, aurait convoité cette statuette rébarbative et même horrible ! Vous avez visité des chambres de bonne, commissaire ?

— Plus souvent qu'à mon tour, comte. Ce sont des lieux de grand bonheur.

— Y avez-vous aperçu autre chose que des grigris de bazar ? Des saloperies provenant de boutiques pour touristes ? Moi, jamais. Du gothique ! Ce serait à s'en claquer les cuisses.

— Pour vendre ? suggéré-je.

— Folie ! Vendre un objet aussi particulier ? C'eût été se jeter dans les bras de la police !

— Alors, selon vous qui l'a prise, cette hideuse figurine de bois ?

— Mais, mon bon commissaire, quelqu'un qui connaissait l'attachement de Silvertown pour elle. C'est cet attachement qui en faisait la vraie valeur !

— Comment les « enquêteurs » ricains ont-ils accueilli votre suggestion ?

— Par un haussement d'épaules. Je vous l'ai dit tout à l'heure : on ne m'écoute plus.

Tout le monde poursuit un but dans l'existence. Celui de Graziella, cette nuit, c'est de me dégainer M. Triquano. Et voilà qu'à gestes feutrés elle y parvient. Ma gêne est vive car elle constitue le seul écran qui masque ma gloire de mâle au vieux mec assis en face de moi. Comme je n'ai pas l'habitude de montrer à des vieillards, aussi complaisants soient-ils, ce produit de la ferme familiale, je me hâte de le lui carrer dans la moniche afin de le dissimuler. Elle en sautille d'allégresse, ce qui n'arrange pas la situation.

Bellazzezzeta vide sa flûte et se lève.

— Je crois que je vais remonter dans ma chambre, dit-il.

Honneur à sa discrétion. Il ne me tend pas la main mais me tapote l'épaule.

— Bonne continuation, mon cher. Et merci de m'avoir fait parler.

— Hé ! comte ! Une ultime question.

— Volontiers.

— Pour voler cette statuette, il a fallu que l'on s'introduise dans cette maison ?

— C.Q.F.D. !

— Des soupçons ?

— Plus ou moins.

— Je vous écoute.

— Le jour du vol, quelqu'un est venu ici en mon absence, un homme âgé qui prétendait être, paraît-il, l'oncle de M. Silvertown. Il marchait avec des béquilles et portait un pansement à la tête. Il avait une grande sacoche dans le dos. La femme de chambre l'a conduit dans l'appartement de Ron Silvertown, tellement son assurance était grande. Il y est demeuré plus d'une heure, et puis il est reparti en prétendant qu'il avait dû se tromper d'heure pour le rendez-vous.

— Eh bien ! mais le voilà, le voleur !

— N'est-ce pas ?

— Les hommes de Silvertown ont suivi cette piste ?

— Je n'en sais rien, commissaire.

Il se retire noblement.

Que trente secondes plus tard, on se roule sur la moquette, Graziella et moi !

Ma vie n'est qu'un long chagrin cahotique,
entrecoupé d'éclaircies

(Frédéric Dard)

Black détestait que le sort lui soit contraire. Il partait du principe que la chance est un élément permanent de la vie. Qu'elle se mette à lui foirer dans les mains le désorientait et le plongeait dans un noir courroux. Il aurait démoli la terre entière et rêvait de se trouver derrière une mitrailleuse lourde dont la bande de munitions serait sans fin et lui permettrait de tirer dans le tas jusqu'à ce que la fatigue due à la trépidation le terrasse.

Tout avait craqué si sottement !

L'autoroute. Un camion qui décrit une brusque embardée. Il freine à mort. Un connard du dimanche l'emplâtre par-derrière et la porte de son coffre valdingue dans un pré. Manque de bol : la maréchaussée se trouve là, plantée à vingt mètres pour surveiller le trafic. Black n'a pas le temps d'aller planquer son attirail bien en vue dans la malle arrière comme dans une vitrine d'armurier : deux pistolets, le fusil de plongée, une boîte de balles, une matraque, un stylet dans sa gaine de cuir, une autre gaine vide, l'arme étant restée dans la poitrine de M. Blanc.

Le gendarme paraît attiré par ce fourbi comme une mouche bleue par une merde fraîche. Il va droit à l'arsenal, sourcille, dégaine aussi sec son feu et intime à Black d'attraper les nuages.

Black s'exécute pour se donner le temps de la réflexion. Un flot de bile envahit son gosier. C'est trop con ! Trop con ! Trop con !

Tout en le couchant en joue, le gendarme va à sa grosse moto pour prévenir son compagnon par radio. Black se gaffe que voilà l'occase. Tu ne peux braquer convenablement un homme quand tu exécutes simultanément un numéro de phonie. Black plonge superbement sur la route, tête première, exécute un roulé-boulé et se redresse derrière une femme badaude qui en prenait plein les châsses. Il s'agit de l'épouse de l'emplâtreur. Genre congé mal payé, en petite robe imprimée avec auréoles sous les bras.

Le pandore n'a pas eu le temps de réagir. Tout ça trop prompt ! Et maintenant la gonzesse sert de bouclier à Black.

Celui-ci fait avancer la femme jusqu'au coffiot. Il s'empare des deux flingues, en glisse un dans sa ceinture, garde le second en pogne puis, après réflexion, se saisit également du stylet. C'est à cet instant que sa rogne se développe en lui, qu'elle monte, qu'elle l'étouffe. Saloperie de bagnole jaune de merde ! Il avait eu le pressentiment, en la louant à l'aéroport, qu'elle était porteuse de poisse ! Il avait même failli en exiger une autre, moins voyante. Et puis il s'était dit qu'il ne devait pas tomber dans la superstition de bas étage !

Alors, il est là, à chiquer les sombres héros de films d'aventures, son feu en pogne, la gonzesse collée à lui. Se faire piquer comme un petit malfrat de banlieue, lui, un super-crack dont on prononce le nom en baissant la voix dans le Milieu américain.

Bon, il va s'en tirer, mais quel contretemps ! Heureusement qu'il a voyagé et loué la Volvo sous une fausse identité. Heureusement qu'il a des « points de chute » en France et ailleurs en Europe. Il loue intérieurement son esprit d'organisation, ses manières méthodiques. Tout ça, le temps d'un éclair, tu penses.

Il visionne la tire qui vient de le percuter : museau écrasé, essieu avant faussé, probable, la manière dont la roue avant droite dit merde à l'autre.

— Jette ton feu dans le champ, sinon je brûle madame ! dit-il.

Docile, le motard balance son revolver à dache. Très loin. Il aurait fait un bon lanceur de poids.

— O.K., approuve Black. A présent va le chercher !

L'autre hésite, conscient des regards braqués sur lui car trois bagnoles sont maintenant stoppées derrière les deux autos endommagées. Black se dirige vers la plus rapide : une Mercedes 500 de couleur saumon métallisé, conduite par un frimeur de trente ans. Il ouvre la portière arrière et enfourne la femme dans l'auto. Quelque part un mari proteste, mais en chiant dans son froc, donc c'est pas grave. L'automobiliste a repéré le feu de fort calibre et ne moufte pas. Black prend place au côté de la femme, claque la portière et dit au conducteur :

— Bon, ben on y va, hein ?

— Où ça ? balbutie le frimeur.

— Ailleurs, fait Black.

Il abaisse la vitre et place une balle dans le boudin avant de la moto du flic.

— Appuie ! ordonne-t-il au conducteur.

Le mec obéit. Peut-être que ça le grise, dans le fond, de vivre cette épopée. La femme, elle, sanglote ; chacun son métier ! Le conducteur murmure, d'une voix pâlichonne mais qui s'essaie à la désinvolture :

— On va se faire piquer au péage !

Le « on », employé ici comme pluriel, est destiné à se concilier la clémence du bandit en s'associant délibérément à son sort.

Black qui est psychologue en sourit de pitié. Devant eux, c'est libre parce que l'incident a formé bouchon.

— Tout de suite après le virage, là-bas, ralentis, franchis le buisson qui sépare les deux voies et reviens dans le sens contraire. Si tu réussis bien la manœuvre, t'auras droit à une récompense : peut-être que ce sera la vie sauve.

Le gonzier n'est pas fier.

— Applique-toi, lui conseille froidement Stephen Black. Sinon, en cas de pépin, ça risque de saigner.

La femme pique une vraie crise de nerfs. Black lui balance une formidable torgnole d'un revers de main.

— Arrête, connasse ! enjoint l'Américain de son ton glacial.

— Je peux pas, c'est plus fort que moi, je vous jure ! pleurniche la gonzesse.

Black la guigne du coin de l'œil.

— Branle-toi, ça te changera les idées.

Elle en est médusée, la pauvrette, tellement sans histoire jusqu'alors.

L'automobiliste vient de ralentir, il prend large et entame le franchissement de la séparation médiane. Le danger est constitué par la circulation inverse. Les plantes destinées à couper l'éblouissement des phares, la nuit, ne permettent pas de voir arriver les bagnoles.

— Tu t'engages mollo, qu'ils aient le temps de voir ton capot et de s'écarter ! conseille Black avec un calme forcené.

Le type obéit. Il porte une veste de daim beige, en provenance d'une grande maison. Les manches en sont retroussées et dégagent celles d'une chemise de lin bleu. Une montre Cartier scintille à son poignet. Sa nuque brune sent la lotion riche. Il a une bonne coupe de cheveux. Black se dit tout ça pendant que le gars opère le changement de voies. Gros bol ! Tout se passe bien. Deux ou trois automobilistes sidérés par une telle audace vident leurs batteries à klaxonner pour exprimer leur farouche réprobation. Les voici enfin dans l'autre sens.

— Impec, approuve l'Américain, t'as une chance de voir demain.

Puis à la femme, qui continue de chougner comme une perdue :

— Je t'ai dit de te branler ; t'attends quoi ? Que je me fâche ?

Il promène le canon de son feu sur ses nichons pandouilleurs.

— Enlève ton slip et fais-toi un doigt de cour, la mère. J'adore ce genre de spectacle.

Mais elle ne se décide toujours pas. Il lui place alors la pointe du pistolet entre les cuisses, l'orifice de l'arme braqué sur la banquette, mais le canon contre le pubis de la malheureuse. Il presse la détente. La femme hurle.

— C'est juste le coup de semonce. Le prochain je te tire en plein dans la chatte.

Puis, au conducteur :

— Si tu veux régler ton rétroviseur pour profiter de la séance, tu peux. Mais fais gaffe à la route tout de même.

Anéantie, la femme relève sa robe imprimée et ôte avec des gestes grotesques un slip qui ne l'est pas moins.

Lorsque le participe passé
est employé sans auxiliaire,
il peut être considéré
comme un véritable adjectif verbal
qui s'accorde en genre et en nombre
avec le nom auquel il se rapporte (1).

Quand je rentre à l'hôtel, après ma conversation avec le comte Bellazzezzeta et les joyeusetés qui s'ensuivirent, je trouve Bérurier dans la posture exacte où je l'ai quitté, à savoir entre les ravissantes jambes d'Anita, occupé à la contenter avec la force de pénétration et l'application qu'on pourrait attendre d'une foreuse à pétrole.

Ma venue lui fait tourner la tête. Il me jette :

— On joue le troisième set, mec. Mam'selle est drôlement entichée.

Son formidable cul velu, vergeté, crevassé, raviné, constellé de bleus et de cicatrices nombreuses est une bielle infernale activant son phénoménal piston.

La môme a trouvé une posture ad hoc pour profiter au maximum de l'engin. En fin de course, elle a un râle sec suivi d'un « houiiii » enthousiaste. A croire que chaque « brassée » (Béru dixit) lui permet de capitaliser quelque chose dont elle tirera encore profit par la suite. Peut-être des souvenirs sensoriels, après tout ? Encore que ceux-ci soient les

(1) J'émets les plus grandes réserves sur cette définition que nous proposent MM. Sève et Perrot dans leur dictionnaire orthographique.

premiers à s'effacer de la mémoire qui a d'autres plus beaux chats à fouetter. Personnellement, mes souvenirs de cul ne sont pas collés à la coque de mon cerveau. Moi, les remémorances concernent des instants où le sentiment jouait du luth. La bitoune, c'est pour l'instant, juste pour l'instant. Le cœur, lui, c'est pour toujours.

J'admire la performance du Gros d'un œil blasé par mes propres prouesses avec la soubrette de la Résidence. Décidément, je donne fortement dans l'ancillaire ces temps-ci. Pour commencer, ma bonniche portugaise, et maintenant la petite femme de chambre (le terme convient à poil) tessinnoise. La loi des séries ! C'est kif les accidents de chemin de fer. Ensuite viendra le temps des duchesses. Je suis tout terrain, pas sectaire du paf pour un liard.

Je laisse ces monsieur-dame se dégorger la glandaille à l'extrême, s'essorer jusqu'à l'os de seiche, total, complet, triple zéro ! Vais-je me jeter sur la litière du Gros puisqu'il copule dans mon lit depuis deux plombes d'horloge ? Ça pue le fauve bien qu'il n'y ait point encore dormi. La bauge innettoyée.

Mains sous la nuque, jambes croisées (l'une battant je ne sais quelle mesure bizarre), je passe en revue les révélations du comte Bellazzezzeta. Drôle de gazier, ce Ron Silvertown. La disparition de sa statuette gothique qui l'a tellement catastrophée représentait quoi pour lui ? Beaucoup plus que la valeur vénale de l'objet, c'est certain. Et pourtant, le bougre de comte est formel : la statuette n'était pas truquée. Il s'y connaît, Bellazzezzeta, il a dû fourguer de quoi garnir dix musées, le vieux flambeur. Un objet d'art de cette nature n'a pas de mystère pour lui.

Alors ? Comment se fait-il que Silvertown ait rameuté des spécialistes de haut niveau pour récupérer son bout de bois ? Franchement, j'arrive pas à cohérer dans cette affure. Tonton, la grosse dondon d'Adélaïde, ils viennent branler quoi ou qui dans ce bigntz ?

Autre question brûlante : pourquoi, lors de sa première visite à l'Américain, la gagneuse de Moktar s'est-elle fait jeter comme une lavasse, et pourquoi a-t-elle eu droit à un entretien d'une heure le lendemain ? Entretien à la suite duquel elle marquait paraît-il une vive satisfaction ? Qu'est-ce qui motivait ce revirement dans le comportement de Silvertown ?

Sans cesser de gamberger, j'attire le biniou à moi, je compose le zéro zéro pour « sortir de l'hôtel » (c'est écrit en français sur la notice du grelot) et, d'un doigt automatique, je tabule le numéro que je veux.

Qui était l'homme aux béquilles et au pansement à la tête, le faux oncle de Silvertown ? Celui qui, presque à coup sûr, s'est emparé de la statuette ? Pourquoi les sbires du Ricain ont-ils affrété un hélico pour se rendre chez l'oncle Tom ? Pourquoi cette période de tranquillité de douze années avant qu'il se mette à chier des hallebardes pour le père Dugadin ? Pourquoi ?... Pourquoi ?... Pourquoi ?...

On décroche à l'autre bout. Une voix pâteuse grommeluche un « Ici Mathias, j'écoute » qui ressemble aux ébats de quinze canards dans la vase d'une mare. Cependant qu'un immense cri de triomphe éperdu me vient de la chambre voisine.

— Je jouiiiiiis !

— Moi aussi, ma biquette, répond paisiblement le Gros, mais c'est pas une raison pour pousser c't' gueulante : tu vas réveiller l'hôtel !

— J'écoute ! insiste le Rouquin à l'autre extrémité.

— Moi aussi, lui dis-je. Béru vient de faire reluire

une superbe créature et c'était beau comme le contre-si de la Callas à sa grande époque.

— Oh ! c'est vous, monsieur le commissaire !

— A cette heure indue, qui voudrais-tu que ce soit ? Tu as de quoi écrire ?

— Presque.

— C'est-à-dire ?

— J'ai un stylo-bille mais pas de papier.

— Note sur les miches de ta grognasse, tu recopieras plus tard.

— Allez-y !

— Je veux la biographie complète, détaillée, en couleurs et en stéréo d'un sujet américain nommé Ron Silvertown. Seul point d'ancrage : en 1973, il était le grand manitou d'une société bancaire intitulée American Bank Company. A toi de jouer, il me faut un rapport d'au moins deux cents pages sur ce mec : sa vie, son œuvre, la couleur de ses slips.

— Je m'y colle dès demain.

— Non, mon drôlet : dès tout de suite, car il faut tenir compte du décalage horaire ; il n'est pas encore six heures du soir, à Nouille York. Je te rappellerai aux aurores. Salutations à madame et grosses bises aux dix-huit enfants.

Béru réapparaît, vanné par son exploit, le chinois en berne. Il a le regard comme deux fois la grande rosace de la cathédrale de Chartres. Il s'arrête dans l'encadrement de la porte, s'accagnarde au chambranle, s'incline sur le côté, lève la jambe gauche et balance un pet qui roule longuement sous le haut plaftard de la chambre.

— Qu'en termes galants ces choses-là sont dites ! ricané-je.

— Formalise-toi pas, mec. J'y ai expliqué à Nini (d'Anita) que la baise me produisait toujours c' choc posthume. D'escrimer, ça affole les gaz qu'on coltine et c'est la grande décarrade. Tiens, en v'là un aut' pour la reine d'Angleterre.

Nouvelle déflagration plus conséquente que la précédente.

— Ça, c'est la vraie partie de brosse, jubile l'Infâme. J' te d'mande pardon d'avoir enfourché ta monture au pied levé, grand, mais ell' m' portait trop aux sens, cette grand-mère. Tu vas dire qu' c'est d' la confiture donnée à un cochon, vu qu' ma pomme je m'embourbe aussi bien une fermière du Berry ou une garde-barrière à varices ; d'acc, pourtant, j' pouvais pas laisser passer c't' occase, mec. Dedieu, la voyouse qu'a là ! Un vrai tire-joint ! J'ai cru qu'é l'allait m'arracher les bas morcifs ! Une frangine si tellement sensuelle, tu t' recomptes les couilles après l'emplâtragc, t'assurer qu' tout l' monde sont là. Sacrée Nini ! Quel hangar à biroutes tu me fais, ma puce ! Mais où qu'é l'est ? Dans la salle de bains, se dédoloriser le gourmand ? Niii-Niiii ! A répond pus ! Nini, bordel ! Merde, é s'est tirée. Moui, la lourde est toute verte. Tu sais quoi, Tonio ? Elle s' s'ra gênée de toi, c'te gosse. Fatal. Tu la commences, tu lui blablutionnes l' bonheur du jour au Dom Pérignon, et puis c'est ma pomme qui se ramène pour la fourrée géante av'c sa mastarde chignole de cérémonie ; ça la gêne visse à visse d' vos premiers contacts. Tu l'allumes et je l'éteins. Elle confusionne, comm' une personne bien élevée qu'elle est.

— Refais ta valise, Gros, on s'emporte ! coupé-je sèchement.

— Oùcela-t-il ?

— Grenoble. J'ai un couple de copains à qui je veux porter des croissants (d'autant que lui est arabe) pour leur petit déjeuner. Ça leur fera la surprise.

Béru regarde autour de lui.

— Ma valise, t'en as d' bonnes, j' l'ai pas défaite.

— Parfait.

— Et comment j' l'aurais défaite, malin : j'en n'ai pas !

Trois heures moins dix carillonnent à un clocher qui avance de dix broquilles quand on arrive devant le troquet d'Adélaïde et de Moktar. Une nuit riche en lune ridiculise l'éclairage municipal, plutôt faiblard dans ce quartier.

Je m'approche du café et j'aperçois un avis collé avec du scotch sur la vitre, depuis l'extérieur. Une écriture tremblée annonce, en caractères bâton pauvrets :

« Fermé pour cause de décès. »

— Merde ! m'écriai-je en français-dans-le-texte.

Je suppute en rafale. L'un des deux « associés » a-t-il eu un pépin ? A moins que ce ne soit le père Salcons qui ait pété un pipe-line au milieu de ses vélos ?

— On est marrons ! constate l'épuisé, fataliste.

— Minute, on va vérifier s'ils crèchent dans l'immeuble.

J'ouvre la porte d'allée (comme on dit là-bas) et actionne ma petite torche électrique pour passer en revue les boîtes aux lettres du couloir. J'y trouve effectivement le blase de Salcons Adélaïde (2e). Tout est à son nom, à la grosse, probable que Moktar se coltine un casier judiciaire cacateux qui ne lui permet pas de frimer de la raison sociale.

On s'engage dans l'escadrin pour gagner le second. Une carte de visite mesquine punaisée à une lourde indique que Salcons Adélaïde pioge bien ici.

— Tu sonnes-t-il ? murmure l'Essoré.

— T'es encore plein d'idée reçues, Gros, soupiré-je en bricolant la serrure avec mon fameux sésame.

Déponner est tout juste une rubrique de la page

« jeux vacances » d'un magazine. Cric-crac, merci d'être venu !

Le logis fouette le cradingue à tout va. Un chimiste qui bosserait sur un nouveau déodorant devrait absolument procéder à des essais chez Adélaïde. Si le test est positif, il peut commercialiser son bidule la tête haute. Un bout de vestibule où deux portemanteaux accolés supportent des monceaux de hardes. L'odeur est désastreuse : cuisine refroidie, crasse, merde, urine, collection de Tampax usagés. Et d'autres remugles bien intenses, chavirants. Des trucs qui te filent la gerbe et le tournis.

Voilà la cuisine. Et puis, à côté, le salon-salle à manger comme toujours. Toutes les maisons du monde sont édifiées sur le même principe, dans le fond, les palais comme les chaumières, ce qui prouve que tous les hommes, puissants ou misérables, ont les mêmes nécessités de vie.

On s'arrête pour esgourder. Silence complet.

— Y a personne, décrète Béru.

— Je ne sais pas, réponds-je.

Mon sept ou huitième sens qui m'informe d'une présence. Je « sens » quelqu'un. Le faisceau de ma loupiote-stylo (une invention de Mathias qu'il devrait faire breveter, s'il voulait gagner du flouze ce con : batterie sédimentaire bouturée avec performant circonstanciel ; le faisceau est mince comme un rayon laser, mais d'une folle intensité ; il ne diffuse pas, mais illumine littéralement, de manière ponctuelle, la zone réduite sur laquelle il se pose) se promène dans la pièce. Je découvre une table encombrée d'un foutoir hétéroclite, avec une partie plus dégagée où deux couverts sont dressés. Il y a du pain coupé dans une méchante corbeille, le moutardier, la salière, un flacon de piment extra-dry. Cayenne !

Mon faisceau peint la nuit. Il fait jaillir du noir des

éléments de vie : une chaise, un placard bancal, une affiche célébrant les Scychelles, punaisée au mur. Coco-fesse en gros plan !

Son travelling panoramique continue de balayer, et brusquement, le faisceau se met à trembler parce que ma main tremble. Faut dire que ce qui vient de jaillir dans notre focal est assez terrifiant sur les bords.

Tu me connais à comble, hein ? Tu m'as lu jusqu'au poil des bras ! Tu sais tout de moi, comme moi je sais tout de toi, n'est-ce pas, chérie ? Tu te rappelles la fois que tu m'as accordé ta virginité et que je t'en ai refait une autre tout de suite après en t'attachant les poils du frifri : un de gauche, un de droite, etc. ? Ça crée des liens tous ces menus nœuds après l'introduction d'un gros, hein ? Bon, eh bien t'as beau me connaître, reconnaître, sur-connaître, tu devineras jamais ! Alors je t'y dis. Un homme basané, assis à califourchon sur une chaise tout contre le mur. L'homme, c'est mister Moktar, le julot d'Adélaïde Salcons. Sa tempe est appuyée contre la cloison à cause d'une flèche de métal qui lui traverse la tronche de part en part. On la lui a tirée à bout portant au moyen d'un fusil de pêche sous-marine. L'homme a les yeux ouverts, exorbités même, je peux te dire. Du sang, relativement peu, a coulé de la plaie et dégouliné sur son cou avant de disparaître sous ses vêtements.

Béru vient d'actionner le commutateur et la lumière conventionnelle nous rend compte de la scène. Du grand tragique ! Ce mec cloué comme un insecte dans une boîte d'entomologiste fait peur. Je note qu'une autre flèche est fichée dans sa cuisse. Je suppose que ça a été le coup de semonce destiné à le neutraliser d'entrée de jeu.

C'est aussi ton avis ? Ah ! bon. Tu le savais déjà ? Hein ? Parce que t'as lu le début de la scène du meurtre ? T'as de la chance d'être lecteur. Moi, je suis que l'auteur, comprends-tu ?

— Il ne perd pas de temps ! murmuré-je.

— Qui cela ? demande Patapouf.

— Le zig qui a planté Jérémie.

— Tu croives que c'est lui ?

— Si ce n'est toi, c'est donc son frère. Le type ou son équipe progressent. Ils vont plus vite que moi !

Je me dirige vers la pièce voisine : la chambre à coucher du couple. Le lieu où le désordre culmine. Le linge sale est empilé de partout, sur les chaises, la commode, le sol, même !

La grosse Adélaïde gît sur son lit, à plat ventre, sa robe retroussée jusqu'à la taille. Son énorme dargeot est devenu blafard dans la mort. Une mare brune s'étale sous son bas-ventre et ses grosses fesses sont sanglantes. Je m'approche de la femme, le cœur soulevé de dégoût, cherchant la cause de sa fin. Un cri m'échappe. Pourtant moi, hein ? Ame trempée, merde ! Coutellerie de Thiers ! Pas froid aux yeux, pas plus qu'aux claouis. Loin d'être obsolète, l'Antonio.

Mais devant ce que je vois !...

La pointe d'une flèche sort du dos de la vachasse, entre deux côtes. L'assassin l'a fait mettre à genoux sur son lit et lui a enquillé le canon de son fusil dans la moniche. Un sadique ! Puis il a tiré. Le harpon a déchiré tout l'intérieur de la malheureuse avant de réapparaître sous son omoplate gauche (ou droite, si t'es du Front National).

Je commente pour Béru. Alors il blêmit, Pépère. Y a une larme qui perle à ses cils de cochon. Il porte sa patte à sa hure. D'un ton brisé, il murmure :

— Faut être le dernier des derniers ! Il aurait pu la chibrer au lieu de lu jouer c' tour-là ! Promets-moi un truc, Sana : on va l' retrouver, pas vrai ?

— Oui, réponds-je derrière mes dents serrées, oui, Gros : on va le retrouver.

— Et alors on lui f'ra sa fête, tu m' promets ?

— Je te le jure, mon vieux pote !

— Faut qu'y va déguster, c't' ordure !

— On lui fera son gala d'adieu, promis.

Et j'étends la main au-dessus du corps d'Adélaïde pour ratifier le serment.

On se rend dans la cuistance pour un coup d'alcool. Béru, en véritable sanglier doué pour la chasse aux truffes, déniche une bouteille de scotch. Il la débouche et me la propose. Glou glou ! J'en entifle vingt centilitres sans respirer. Le Gros vide le reste.

Tandis qu'il s'arrose la voie royale, je réfléchis en stéréophonie.

— Curieux, l'écriteau sur la porte du bistrot, m'entends-je dire.

Je retourne fureter dans la chambre et j'y déniche ce que j'escomptais : un bloc correspondance et un stylo feutre.

— Il a fait écrire ça par la grosse, après avoir scrafé son mecton, hein ? murmure Béru qui m'a filé le train.

— Probable, oui. Il a voulu gagner du temps avant qu'on ne découvre le double meurtre.

— Y n' recule d'vant rien, ce cancrelat ! J'espère qu' les copains d' Savoie auront parvenu à l' sauter.

— En tout cas, soliloqué-je, il a trouvé ce qu'il cherchait.

— Biscotte ?

— Rien n'a été fouillé.

— T'as pas vu ce bordel ?

— Du désordre, mais pas une mise à sac, Gros. Utilisant les très grands moyens, il a obligé Adélaïde à se mettre à table. Elle lui a donné satisfaction, j'en suis convaincu. Il l'a butée ensuite pour neutraliser un témoin. Dans son cas, il y était contraint.

— Tout de même, il pouvait l'effacer autrement !

Je file un dernier coup de périscope à cette désolation sans nom. Dur métier que le nôtre. Y a des moments, on préférerait être berger et assurer la transhumance dans les alpages.

Je suis celui qui emporte
son nougat à Montélimar
et sa saucisse à Francfort.

Il a pas sa gueule pour calembours, l'ami Bavochard. Inrasé, le regard ternasse, avec dans la bouche un sale goût de mominette dégueulée, il fait un peu pitié en ce matin morose.

Nous sommes arrivés ensemble à la Grande Volière de Chambéry. Moi, venant de Grenoble, lui de sa chasse à l'homme dans la région Dauphiné où il est allé prêter main-forte à ses collègues de l'Isère. Bredouille. Il renaude vilain et en oublie ses « poils au nez » pourtant si facétieux dans une converse.

En plus, sa vésicule matraquée par la maison Pernod (l'alcool Pernod fils, comme il dit volontiers) déconne plein son sac menbraneux, ajoutant à la dure réalité de l'aube.

— Du nouveau ? je questionne.

— Le gars a filé entre les mailles du filet ! annonce-t-il, lamentable.

— Y a pas que mailles qui lui aille ? je propose, histoire d'engrener sa pompe à déconne, désamorcée.

Mais je n'éveille aucun écho dans sa délabrance. Bavochard est amorphe comme une biroute d'eunuque regardant la photo de Régine.

Il me raconte que le type a eu un galoup sur

l'autoroute. Mais on me dit que t'as déjà lu l'anecdote plus haut, alors je m'écrase, pas me montrer répétitif, au prix du papier, de l'impression et tout le chenil. Ce que, paraît-il, tu ignores, c'est que l'homme à la Volvo jaune a réussi à se casser en prenant une femme en otage et en contraignant un tomobiliste de lui servir de chauffeur. Il l'a forcé à traverser la séparation médiane de l'autoroute et à revenir sur ses pneus (on ne peut pas parler de pas).

Si ? T'es au courant de ça aussi ? Merde ! Qu'est-ce qui me reste à te raconter alors ? Moi, je trouve que ça fait un peu doublon, cette formule. Tu le sais aussi qu'ensuite, le tueur a demandé au conducteur de se remiser très à l'écart sur une aire de stationnement. Il a endormi les passagers à l'aide d'une bombe de gaz et les a abandonnés, après avoir fermé les vitres et répandu un surcroît de gaz dans l'habitacle. Ça tu l'ignorais ? Ah ! tout de même ! On a appris la chose par le propriétaire de la voiture qui n'a recouvré sa lucidité que depuis une heure.

Le fugitif a franchi la clôture séparant l'aire de stationnement de la campagne. Un cultivateur l'a accepté en stop et déposé à Saint-André-le-Gaz où il a pris le train pour Lyon. Fin de l'épisode.

— En haut lieu, ça chie des bordures de trottoir, m'avertit Bavochard. On va ramasser, c'est certain ! Putain, ce qu'on va ramasser !

— Qu'est-ce qui vous donne à croire que c'est cet homme qui a poignardé l'inspecteur Blanc ?

— Sa Volvo jaune avait été remarquée par des gamins de Saint-Joice-en-Valdingue. Et surtout, on a retrouvé dans le coffre un étui de poignard auquel s'adapte parfaitement le ya qui a servi à assaisonner ton négus. Tu as de ses nouvelles, à propos ?

— Toutes fraîches : il va s'en sortir.

— Tant mieux, la médecine fait des miracles car

lorsque je l'ai vu en réanimation, il manquait de *look*.

— C'est pas la médecine, c'est sa femme, mon vieux. Elle le soigne à la merde de je ne sais quoi et prononce des paroles cabalistiques autour de son lit pour filer la pétoche aux mauvais esprits ; son vieux est sorcier professionnel dans leur patelin du Sénégal.

— C'est bon à savoir. Si un jour je prends un coup de sacagne, je saurai à qui m'adresser.

Il me fait entrer dans son bureau et va droit à un placard mural pour extraire deux petits godets et une boutanche toute neuve de pastaga. Qu'ensuite d'après quoi il dévisse le couvercle d'une glacière portable et pousse un cri façon steamer en perdition dans les brumes boréales.

— Cantasoy, bordel !

Un maigrichon qui ressemble à une touffe de poils de cul collée à un bâton arrive prestibus.

— Commissaire ?

Bavochard lui montre la glacière vide.

— Vous faites une tumeur du cerveau, ou quoi ? Et *mes* glaçons ?

L'armature à épouvantail se trouble comme, tout à l'heure, le pastis, quand on le transformera, par l'adduction d'eau potable, en mominettes.

— Je ne pensais pas que vous vinssiez si tôt, commissaire, bafouille le dénommé Cantasoy.

Bavochard lui lance le récipient à travers la pièce. Grâce à un réflexe de haute qualité, l'inspecteur s'en saisit.

— Je vous donne cinq minutes ! avertit mon collègue.

Cantasoy part dans une tornade blanche.

— Dis, c'est encore la cour de Russie, dans les Savoie ! plaisanté-je. Tes zèbres, tu leur donnes le fouet ou tu les fais empaler quand ils font des fautes d'orthographe dans leurs rapports ?

Il se marre.

— Mes glaçons, c'est sacré. Je badine pas. Et toi, « l'héritier », tu as du nouveau ?

Non, mais voilà qu'il me cherche derechef avec le testament de tonton, l'apôtre ! Ça lui a pas suffi, ma sortie de l'autre jour. Faut que je casse quoi pour qu'il comprenne ? Sa bouteille de pastoche ou sa mâchoire ?

Tu sais qu'il me plume la prostate, mister Cézigue ! Faut toujours être en bute dans la vie. Les aminches plus venimeux que les autres, tu remarqueras. Jalminces, quoi ! Parce que t'es plus gradé, mieux membré, moins tarte ! Ça se paie, la différence. C'est impardonnable. Pour passer à travers, faut drôlement serrer la corde, crois-moi. Slalomer à mort. Faire l'affable !

— Ouais, lui réponds-je, j'ai du nouveau : deux macchabes. Mais dans l'Isère, c'est pas de ton ressort, mon vieil Aboudin, malgré que ce soit presque certainement ton superman à la Volvo qui ait accompli ce travail d'équarrissage.

Ça le deurondeflante vachement, Bavochard.

— Encore deux morts ! il s'exclame.

— Et c'est peut-être pas fini, ajouté-je. Je pressens que le plus beau reste à vivre.

— C'est une affaire glauque, on dirait, non ? murmure Mominet.

— On vient pratiquement de bouffer notre pain blanc, collègue. A présent la grande mouscaille va venir, je le sens : j'ai mes cors aux pieds qui me font mal.

Si j'avais pu me douter d'à quel point j'étais au-dessous de la vérité !

Dis-moi qui tu fréquentes,
je te dirai qui tu hais.

Dans son plumard aux draps blanc clinique, il ressemble à une grosse mouche noire en train de faire la planche dans une tasse de lait, Jérémie. Ce qui frappe, c'est sa maigreur brutale. Il a dû sucrer dix livres en trois jours, le brave inspecteur. Son regard lui bouffe la gueule et ses énormes lèvres font penser à deux mahousses limaces rouges qui s'enverraient en l'air.

Il respire avec difficulté, le coup de poignard lui ayant mochement esquinté la plèvre. A son chevet : Ramadé, l'imperturbable, discrète dans sa robe mauve dont les motifs rouge et noir représentent le *Titanic* en train de sombrer dans une mer d'apocalypse.

Ses yeux, pareils à deux sulfures presse-papiers, me sourient. Il voudrait articuler, mais ça lui coûte trop, alors je le calme d'une tape affectueuse sur la joue.

— On a eu chaud aux plumes à ton sujet, grand Noirpiot ! Tu as eu le temps d'apercevoir ton agresseur ?

— Ki kouyou baraha ! susurre Jérémie.

Sa souffrance et sa faiblesse sont telles qu'il ne parvient à s'exprimer que dans son dialecte originel.

Je me tourne vers Ramadé :

— Que dit-il ?

— Que ça s'est passé très vite ; il a été frappé par surprise. Dans un brouillard, avant de perdre conscience, il a cru voir un homme, grand, blond, avec les cheveux frisés serrés, traduit-elle fidèlement.

— Kiwi barabo, reprend M. Blanc.

— Que dit-il ?

— Il voudrait que vous lui racontiez la suite de l'enquête. Il est navré de ne pas pouvoir la continuer, mais il veut qu'on le tienne au courant.

— J'ai peur de le fatiguer ! objecté-je.

— Baboué nouyé go, murmure l'inspecteur Blanc.

— Que dit-il ?

— Que vous êtes un enculé de flic de merde à toujours compliquer les choses et que s'il veut savoir, c'est qu'il peut écouter. Il déteste que vous le preniez pour une gonzesse, mon vieux !

— Très bien, chère Ramadé, je vais donc lui dresser mon rapport.

Je m'assieds au chevet de Trompe-la-Mort et lui narre en long, en large, en travers et en gévacolor les événements, faits et incidents qui se sont produits depuis sa mise à l'horizontale. Il m'écoute, son regard béant fixé au plafond. Lorsque j'ai achevé mon récit minutieux, il continue de mater le plâtre blanc où deux mouches salaces s'enlacent et s'en mettent plein les baguettes. Dort-il ? Est-il inconscient ? Je m'apprête à lui tâter le pouls lorsqu'il murmure :

— Zikono Silvertown kaloubouré ?

— Que dit-il ?

— Il demande si vous avez fait établir le culcul-d'homme vitré de Silvertown.

— Naturellement, Mathias s'en occupe.

— Boutabou Lyon houllal ! jette le blessé.

— Que dit-il ?

— Il demande si la police lyonnaise a reçu le signalement de l'homme blond et si elle va surveiller les gares, l'aéroport et les hôtels.

— C'est l'évidence même !

— Zibzob nakoué ? insiste Jérémie.

— Que dit-il ?

— Il demande si vous avez pris quelqu'un avec vous pour continuer l'enquête.

— J'ai fait venir Bérurier, comme vous le savez, fais-je, après une hésitation, sachant que je vais sans doute attiser la jalousie de M. Blanc.

— Houbongu salo krado Béru ! soupire effectivement mon ami noir.

— Que dit-il ?

— Il dit que la suite de l'enquête vaut 14 sur 20, mais qu'il vous retire 2 points pour avoir choisi Béru, alors ça ne fera que 12, voilà ce qu'il dit. Et maintenant faut peut-être lui foutre un bon Dieu de paix, monsieur commissaire, j'ai pas envie que mon homme il retourne dans le trou à mort d'où je l'ai tiré, mon vieux. Pas envie du tout !

En roulant en direction de Lyon, je compose, depuis ma tire, le numéro de la maison, prendre des nouvelles de ma Féloche. Au moment où elle décroche, je perçois une forte détonation qui m'alarme (à l'œil !).

— Une bombe, m'man ? meuglé-je.

— Non, ce sont les petits Noirs des Blancs qui ont renversé la grande garde-robe de ma chambre.

— Ça se passe comment avec la tribu ?

— Des moments difficiles, avoue ma chère femme de mère, car ils sont plutôt turbulents. Mais ils ont bon cœur.

— Il reste quoi d'entier à la maison ?

— Plus grand-chose, convient-elle, nous ferons remettre tout ça en état par le père Baguenaude, le vieux menuisier de la rue des Siphons. Mais il vaut mieux attendre que ces enfants soient rentrés chez eux. (Elle murmure :) Tu ne sais pas la nouvelle ? Maria est amoureuse...

J'avale ma pomme d'Adam en trois exemplaires ; elle est pointue de partout.

— Ah ! bon ?

— Imagine-toi qu'elle travaille en robe de soirée. Toute sa paie passe en toilettes. Elle a décidé de ne plus envoyer un sou à son vieux père paralysé au Portugal. Je lui ai demandé la raison de cette révolution, elle m'a dit qu'elle était amoureuse de quelqu'un de la haute société.

Le « quelqu'un de la haute société » toussote, gêné. Je savais bien qu'on ne doit jamais s'attaquer aux domestiques. Voilà qu'il dégénère, mon coup de reins intempestif. Ça lui a déclenché la folie des grandeurs, à miss Poilaupattes.

— Si elle débloque trop, sépare-t'en, m'man, conseillé-je avec une superbe lâcheté. Faut pas garder quelqu'un qui se met à délirer.

— Oh ! penses-tu ! proteste Félicie. Elle continue de très bien faire son travail.

Bisou miauleur. Je raccroche sur un tintamarre de casseroles virgulées du haut de notre escadrin.

Béru paraît somnoler, mais je sais qu'il pense. Peu, mais il pense. La chose lui arrive uniquement au plan professionnel. Il a renversé le dossier de son siège, allongé ses paturons au max et rabattu son bitos sur sa bouille.

— T'espères sérieusement redresser ton mec à Lyon, Tonio ? demande le Fabuleux avec tellement de scepticisme dans la voix que je devrais écrire sa réplique à l'envers.

— Je vais essayer. Car il détient l'objet recherché et je souhaite le récupérer au moins autant que lui-même.

— Pas fastoche. Ce gars-là c'est un pro. Un zigus qu'a du chou à plus en pouvoir. Des moiliens, aussi.

— Le gendarme qu'il a braqué sur l'autoroute, assisté d'autres témoins, aide à fignoler son portrait robot qui passera, dès ce soir, dans le journal télévisé des trois chaînes et qui s'étalera demain dans tous les baveux. Par Avis on a son identité, du moins celle qu'il a fournie au moment de louer la Volvo. Ses empreintes ont été relevées sur le volant de ladite ; bref, il baigne dans un somptueux merdier, tout diabolique qu'il puisse être.

— D'acc, mais tout ça il le sait ! Compte sur lui pour sortir l'grand jeu, mec. Cézarin, c'est du pas ordinaire, tu le sens bien ?

— *Qu'est-ce que c'est que ça ?*
— *C'est rien.*
— *Alors si c'est rien pourquoi c'est là ?*
— *Pour rien !*

Stephen Black, nous l'avons mentionné quelque part (nous ne nous souvenons plus où, mais ça l'a été, inutile de nous chercher des rognes, nous ne nous laisserons pas faire) possédait des points de chute un peu partout dans le monde. Il devait en avoir mémorisé un bon millier, sinon davantage. Ceux-ci étaient d'un genre tout à fait particulier : ses correspondants de secours ne le connaissaient pas et ignoraient jusqu'à son existence. Pourtant, ils étaient disponibles à cause de petits trucs que Black savait sur chacun d'eux. Des informateurs répartis sur la planète moissonnaient à son profit, et lui transmettaient, des « dossiers » brûlants. A ses nombreux moments dits perdus, le tueur les potassait et les apprenait par cœur car il était doué d'une mémoire d'ordinateur.

Durant son trajet en chemin de fer, dans un wagon de première classe, il avait exploré son « fichier mental ». A Lyon, il disposait de deux « correspondants » potentiels. Une fois débarqué à la gare de Perrache, il consulta un plan de la ville et opta pour celui dont le domicile était le plus proche.

Il s'agissait d'un certain docteur Vagiturne, habitant place Carnot, c'est-à-dire pratiquement au pied de la gare.

Le soir tombait. Cette noble ville qu'on appelait jadis « la Cité de la Soie » et que mon cher Francisque Collomb gère de main de maire frémissait dans des grisailles encore marquées de mauve. Black quitta l'effroyable blockhaus à travers lequel s'effectue le trafic Paris-Midi et qui garde toute sa honte architecturale bien qu'on l'ait peint d'un rose ocré de sorbet. Jadis, une large avenue nommée cours de Verdun, accueillait les « vogues », c'est-à-dire les fêtes foraines, et des « pieds humides », à savoir des buvettes, servaient le beaujolais, le côte-du-Rhône et le mâcon blanc aux promeneurs qui avaient du mal à charrier leur pauvre foie surmené. Mais l'étrave de l'existence fend des flots de plus en plus saumâtres et pollués. Les villes et les paysages, de plus en plus défigurés, souillés, démantelés, finissent par contracter cette maladie honteuse qu'est la marée humaine. L'homme se multiplie dans une hystérie de laideur et fonce aux abîmes en saccageant ce que Dieu lui avait proposé de plus harmonieux.

Ce qui nous permet d'affirmer solennellement, une fois de plus, en toute certitude, nous, auteur à chevrons, que l'homme est un misérable con, un méprisable con, un con désespérant qui crève à chaque seconde, renaît à chaque seconde et déconne, déconne, déconne à perdre haleine. Amen ! Vive le retour des jarretelles !

Stephen Black monta au second étage d'un immeuble confortable aux relents bourgeois et s'arrêta devant une porte à deux battants sur l'un desquels une plaque de cuivre légèrement vert-de-grisée annonçait : « Dr Joanès VAGITURNE, ancien Chef de clinique des Hôpitaux de Lyon. Gynécologie, maladies de la femme. »

L'arrivant actionna la sonnette et un roquet se mit à japper dans l'appartement. Une vieille femme vint ouvrir, le genre Mme Pipi, avec une veste de laine trop grande pour elle par-dessus une blouse blanche maculée de taches anciennes. Elle portait des lunettes aux verres tellement épais qu'on la devinait à la rupture de la voyance.

Elle releva haut sa tête chenue pour tenter de distinguer qui se tenait sur le grand paillasson.

— Qu'est-ce que c'est ? demanda-t-elle.

Sa voix semblait plus vieille qu'elle. On aurait dit qu'elle était imitée par un amuseur racontant l'histoire de la grand-mère à qui sa petite-fille demande depuis combien de temps elle n'a pas baisé (1).

— Je voudrais voir d'urgence le docteur Vagiturne, fit Black. Je me doute que son cabinet de consultations est fermé, mais il s'agit d'une chose de la plus haute importance pour lui.

Stephen Black avait le don de convaincre. Sa voix était douce mais péremptoire et personne n'y résistait.

La vieillarde dit qu'elle allait prévenir le médecin. Black fit un pas et pénétra dans un hall qui avait grand besoin d'être repeint. « Et les tableaux accrochés aux murs avaient besoin de l'être également », songea Black qui détestait les croûtes représentant des marines et des sous-bois. L'appartement mourait de vieillasse. Tout y était vernissé par la crasse, lézardé, poussiéreux. De lourds meubles noirs accu-

(1) Dans l'histoire, la petite-fille a parié qu'elle ferait « faire le loup » à sa grand-maman. Et, effectivement, quand elle a posé sa question, la vieille fait « hou ou ou »... C'est très con, mais ça fait toujours rire ! Et donc, c'est pas si con que ça puisque ça fait rire. Même si ça fait rire des cons !

mulés créaient une mauvaise impression d'antre de brocanteur. Les tapis usés montraient davantage que leur trame : le parquet lui-même ! Le tout, malgré ses dimensions, n'était éclairé que par une ridicule petite lanterne dont les verres de couleur abritaient une ampoule qui ne devait pas dépasser quarante watts.

Un homme surgit dans le hall. La cinquantaine, corpulent, presque chauve, avec le teint grisâtre et des cernes sous les yeux. Il achevait de mastiquer, ce qui indiquait qu'on le dérangeait pendant son repas. Il considéra Black avec une curiosité teintée de surprise.

— Monsieur ?

« Une voix de vieux prêtre », songea Black.

— Navré de vous importuner, docteur, murmura-t-il, mais il est indispensable que nous ayons une conversation.

— Qui êtes-vous ?

Stephen Black haussa les épaules.

— Mon nom ne vous dira rien ; je m'appelle William de Sotto et je suis américain. Pouvons-nous parler dans une pièce plus... discrète ?

A la curiosité du praticien commençait à se mêler une obscure inquiétude. L'arrivée inopinée de cet étranger, chez lui, à une heure impropre aux visites le troublait.

— Passons dans mon cabinet.

Il poussa une porte et s'effaça pour laisser entrer le visiteur.

Black retrouva cette odeur d'antiseptique et d'éther propre à ce genre d'endroit. Le cabinet paraissait toutefois un peu moins délabré que le reste de l'appartement.

Il était peint en vert pâle et les livres de médecine garnissant les rayons d'une vaste bibliothèque l'égayaient quelque peu. Le docteur prit place derrière son bureau ; Black s'assit en face de lui. Un stéthoscope reposait sur la plaque de verre du bureau et ressemblait à deux reptiles emmêlés.

— En deux mots, voici ce qui m'amène, commença Black sans attendre. Je suis un agent américain et j'ai de gros ennuis avec la police française. Il est indispensable que je me cache pendant quelque temps ; je viens vous demander l'hospitalité, docteur Vagiturne.

Le médecin resta sans voix.

— Vous êtes fou ! s'exclama-t-il.

— Oh ! pas du tout, docteur !

— Mais quelle impensable idée de vous présenter chez moi !

— Calmez-vous, docteur, fit Stephen Black en avançant sa main ouverte en éventail vers le médecin. Ma démarche est logique : je suis un meurtrier qui a des ennuis et je viens solliciter l'aide d'un meurtrier qui n'en a pas encore.

Le gros homme bondit. Il était devenu écarlate.

— Sortez immédiatement sinon j'appelle la police ! hurla-t-il.

— Je connais, fit Black, votre type de réaction : elle est immuable et propre à tous. Chacun a deux ou trois phrases clés à postillonner avant de se rendre à la raison. Après l'indignation, je vais avoir droit aux dénégations outragées. Et puis quand je vous aurai donné certains détails sur la mort de votre première femme, sur celle de sa mère, qui l'a précédée de quelques mois, et sur celle du professeur Alex Burtini, vous viendrez à composition. Nous sommes entre criminels, mon vieux ; nous nous devons aide et assistance.

Il eut un rire triste, inquiétant. Le docteur Vagiturne sentit son cœur s'arrêter. Il ouvrit son tiroir. Black avait un sixième sens qui l'avertissait du danger, mais là il savait que ce n'était pas une arme que son interlocuteur cherchait. Effectivement, le toubib prit un tube bleu contenant des pilules et en goba deux, sans l'aide d'un verre d'eau.

— Ne nous lançons pas dans des assauts déplaisants, docteur, reprit le visiteur. Nous avons un dossier très complet sur vous. Je ne vous réclame pas d'argent et ne vous en demanderai jamais. Seuls votre hospitalité et votre silence m'intéressent. Vous m'hébergez quelques jours, ensuite, je disparais et vous n'entendrez plus jamais parler de ces vilains souvenirs.

Il y avait une pendule sur la cheminée du cabinet, dont le mouvement ne produisait qu'un bruit ténu. Pourtant le silence succédant aux paroles de Stephen Black fut si intense que l'infime tic-tac devint un vacarme de cataracte.

L'Américain attendait, les mains croisées sur le bureau, son regard pâle rivé à celui de son vis-à-vis.

— Ici, ce n'est pas possible, balbutia le docteur. Il y a Marthe, notre vieille bonne, plus mon assistante dans la journée, et surtout mon épouse. Ce soir elle est à un concert, mais...

Black ne broncha pas. Il continuait de fixer Vagiturne comme pour l'hypnotiser.

— Il serait préférable que je vous conduise dans notre propriété de Charbonnières, c'est dans la campagne environnante.

Black fit une mimique pour signifier qu'il n'avait pas de préférence.

— Nous n'y séjournerons pas avant juin, poursuivit le médecin.

— Ce sera suffisant, rassura Black. Vous avez une voiture ?

— Naturellement.

— Allez la chercher. Il y a des provisions dans votre maison ?

— Je n'en suis pas trop certain. Du vin, ça oui, et peut-être quelques conserves.

— Vous devrez prendre de la nourriture avec vous, docteur. J'ai faim.

Ils se levèrent. A côté de la pendulette au mouvement si discret, se trouvait la photo d'une jeune femme agréable et un peu surannée.

— Votre épouse actuelle ? demanda Black en la désignant du doigt.

— Oui, fit le médecin, après une hésitation.

— Mes compliments, elle est très romantique et valait bien, en effet, une messe... des morts.

Il se passe toujours quelque chose aux Galeries Lafayette

— C'est comme si qu' tu chercherais un bouton de braguette dans un plat d'offrande écossais, ronchonne Alexandre-Benoît, dit le Bienheureux, dit Big-Pomme, dit Queue-d'âne (et j'en passe). Comment voudrais-tu est-ce que quéqu'un se souvinsse d'un mec qu'à descendu hier de ce dur ?

Cette déclaration a lieu le lendemain de notre survenance à Lyon, 69 (essuyez vos moustaches, comme dit chaque fois mon vieux Lulu). Côté police, ici, ballepeau. Calmos sur toute la ligne. La tévé et les journaux ont rempli leurs bons offices, mais sans apporter encore de résultats. Quelques belles âmes téléphonent pour dire qu'elles croient bien avoir vu l'homme blond, mais faut vérifier ces informes et, comme toujours, c'est pas de la tarte !

Mon idée de me rendre à Perrache, d'attendre le même train qu'a pris hier le dénommé de Sotto William et d'interroger tous les gens se trouvant en place à l'arrivée du Grenoble-Lyon n'est pas lumineuse lumineuse, j'en conviens, mais elle a le mérite d'être préférable à brosser une péteuse dans un hôtel de passe ou à vider des pots de beaujolpif dans des « canis » de la Croix-Rousse.

Le flot de voyageurs débonde du dur et se

présente vers les sorties. Je suis tombé (sans me blesser, rassure-toi) en arrêt devant un énorme contrôleur qui a des déboires avec sa veste qu'il ne peut plus boutonner. Il descend du wagon de tête comme le ferait une dame enceinte de jumeaux et de huit mois. Je le happe. D'abord ma brème. Police !

— Oui ? demande-t-il en respirant comme une portée de bœufs après cet effort surhumain accompli pour la prospérité de la S.N.C.F.

Pas inquiet. Trop brave homme de père en fils, chez les Flatulance pour se laisser intimider par une bourrique.

— Vous faites cette ligne régulièrement ?

— M'arrive de changer.

— Vous étiez dans ce train, hier ?

— En effet.

Je déballe de ma fouille un portrait robot du dénommé William de Sotto.

— Vous n'auriez pas contrôlé un gazier qui ressemble à ça ?

Sans s'émouvoir, il fait :

— Ah ! l'assassin de Grenoble ?

Il a lu le *Progrès* et déjà vu l'image. Sympa, Gonzague Flatulance. Une moustache en brosse, un gros nez dont une narine est calée par une énorme verrue. Il a un buisson de trois autres verrues au cou, et un papa verrue énorme au menton, avec son petit enfant verrue qui ne demande qu'à croître et enlaidir. M'est avis que ses papilles dermiques prolifèrent de trop (comme on dit dans le peuple) et qu'il va se farcir une charognerie à grand spectacle un de ces soirs, le gros contrôleur.

— Donc, ce serait oui ?

— Fectivement, commissaire (il a eu le temps de lire mon grade), je l'ai vu dans le train, hier. Mais je vais vous dire : ses cheveux sont bouclés plus serré que ça, et il a pas le nez un peu crochu comme ils lui ont fait sur ce portrait.

— Vous n'avez rien remarqué dans son attitude ?

— Il voyageait en première et faisait semblant de dormir.

— A son arrivée ici, vous l'avez revu ?

— Non, mais je l'ai aperçu un peu plus tard qui traversait le cours de Verdun en direction de la place Carnot. Moi je me trouvais dans mon bus. Il marchait en regardant les plaques des rues...

— Et puis ?

— C'est tout, rien d'autre.

Je pose la main sur ces trois cents livres de viande, d'os, de sang et de graisse qui pourraient fournir deux individus mais sont réservées à un seul. Saloperie de société de consommation !

— Merci, contrôleur fais-je d'une voix émue, je suis content de vous. Poinçonnez ! poinçonnez ! il en restera toujours quelque chose.

Et je le laisse à son ahurissement sanguin (mais non sans gains, heureusement pour sa chère famille).

Sa Bérurerie est plantée dans le hall, à me guigner. L'œil fécond, la lippe prometteuse. Sa queue remue comme la lave d'un volcan avant éruption. De toute certitude, le cher homme a quelque chose à m'apprendre.

— J'ai discutaillé av'c la marchande de baveux, là à droite, m'explique le Farineux. Elle a aperçu not' mecton qui r'gardait ce plan d' Lyon. C't' à cause de ses crins blonds frisés qu'elle l'a remarqué. Donc, poursuit l'Extrême, si y visionnait l' plan, c'est parce qu'il avait un endroit précis où aller, me gouré-je ?

— Bien ciblé, l'aminche ! Et je peux même t'apporter de mon côté une précision : il s'est rendu à pince à l'endroit en question.

Je ne regarde ni l'or du soir qui tombe, ni les bus, au loin, fonçant sur Montplaisir. Je marche en mes pensées sans les ternir. Je me trouve cours de Verdun, à l'angle de la place Carnot. Une immense et farouche détermination me guide, me porte, me vole et les venge ! Je veux retrouver de Sotto ! Il me le faut ! C'est un meurtrier sadique de la pire espèce. Il a planté mon ami Jérémie, il a contraint une femme à le suivre et à se masturber. Il a fléché la tête de Moktar et le cul d'Adélaïde. Ne pourrais-je appeler *ça* un monstre ? Ma volonté est si intense qu'elle me rassure. Elle est bienveillante avec moi. Je réussirai. J'aurai ce salopard venu du Nouveau Monde pour foutre la mort dans mon paisible pays. Il réglera ses dettes. Il crachera le morceau. J'aurai le fin mot du mystère Tonton.

— Tu sais que t'es pas fastoche à suiv', mec ? proteste Alexandre-Benoît. Et tu causes en marchant. Tu prilles ou tu radotes, grand ?

— Je me fais des promesses, Gros.

— Tâche de les tiendre !

— Je les tiendrai.

Au centre de la place Carnot, il y a un square avec des bancs. Je m'y rends et me laisse choir sur l'un d'eux. Sa Majesté m'imite.

Jambes allongées, les épaules reposant sur l'arrondi du dossier, je considère la place. Du moins, sa partie est. Voilà : hier, à la même heure exactement, de Sotto se trouvait à ce point de la ville. Il lisait les plaques apposées aux angles des bâtiments. Preuve qu'il se rendait à proximité, *dans ce quartier !* Qui donc a pu le remarquer ? Ce garçon de café, là-bas qui sert à sa terrasse ? Cette libraire qui rentre les journaux fichés dans un présentoir extérieur ? Cette concierge qui traîne contre la porte cochère une poubelle plus grosse qu'elle ? Ce garçon pâtissier en veste à petits carreaux ?

— Il va falloir plonger, murmuré-je.

— Où ? Dans quoi ? s'inquiète le Plantigrade.

— Aller à la cueillette, mon pote ! Ratisser menu. Je vais commencer par ce bout de la place, toi par l'autre. On interroge tout ce qui a deux jambes, deux bras, une tête, deux yeux et une bouche. Réciter notre petit compliment : « Police. Hier, à la même heure, auriez-vous remarqué un homme ressemblant à ce dessin ? »

— Tu croives, toi, qu' les gens remarquent les gens ?

— Ils ne font que ça, plus ou moins consciemment. Surtout que dans ce cas précis nous avons la chance de rechercher un homme possédant un signe distinctif très marqué : il est blond comme l'or et frisé. C'est pas commun. De plus, quand il jacte, il a un accent étranger. Crois-moi, mon biquet, si on retrousse nos manches, on l'aura.

— Si ça s' trouve, il est p't' êt' d' retour aux Amériques, ton gnace !

— Penses-tu. Avec le dispositif qu'il a au fion, c'est un luxe qu'il ne peut pas s'offrir pour le moment. Il lui est arrivé un turbin tout à fait imprévisible et il doit laisser les choses se tasser coûte que coûte avant de se risquer dans un aéroport.

— Si y s' fait teindre en noir et décréper la tignasse ?

— Il ne peut pas faire ça dans la rue, ni même dans une chambre d'hôtel. Il a besoin d'aide. Nous disposons de quelques jours pour le dénicher. Courage !

— Je vous demande pardon : Police. Hier, à la même heure exactement, auriez-vous remarqué...

Vingt fois que je tends ma sébile. Vingt fois que mes terlocuteurs (ou trices) contemplent le portrait robot et hochent la tête d'un air tantôt buté, tantôt désolé. T'as ceux qui répugnent à servir le potage aux poulets, et ceux qui voudraient bien, mais ne le peuvent. Plus les indifférents, les prudents, style « Oh ! la la, je ne me mêle pas de ça, moi ! ».

Mon vingtième client n'est autre que le loufiat que je regardais naguère depuis mon banc. Un petit sec brun, du genre maussade. Il bosse, alors, hein, au plan social, ça suffit. Faut pas lui tartiner les claouis au beurre de cacahuète. Déjà qu'il a emplâtré sa Suzuki à Vénissieux, lors de son dernier congé, tu permets !

— Non : pas vu !

Il dit, avec en presque sous-entendu : « Et même si je l'avais vu, tu pourrais te fouiller pour que je balance, perdreau de merde ! »

Puis s'emporte avec son plateau posé sur trois doigts que, chapeau, faut le faire !

Je ravale ma déconvenue. Et c'est alors que saint Antoine de Padoue, à qui cependant je ne demandais rien, me tire par la manche. Je me retourne. Saint Antoine de Padova va sur ses quatre-vingts balais. Il a une casquette claire avec un petit zizi sur le sommet, une couronne de cheveux blancs, un nez emmitouflé dans de la crépine violette et des lunettes batraciennes. Il porte un pantalon de bleu, une veste de coutil à boutons métalliques, un pull à col roulé et tient une canne entre ses jambes.

— Vous êtes de la police ? il demande.

Son regard bigleux est amène.

— En effet.

— Et vous recherchez quelqu'un ?

— Avec ardeur.

— Quelqu'un qu'était ici, hier à la même heure, dites-vous ?

— Et je le répète.

— Moi aussi, j'étais ici, hier à la même heure. J'y suis tous les jours sauf le dimanche, déclare le vieillard, non sans une légitime fierté.

— Vous permettez ? demandé-je en m'asseyant face à lui.

Puis je lui présente l'épreuve. Il fait une chose assez fréquente chez les binoclards, mais qui chaque fois me déconcerte : pour regarder, il ôte ses verres. Sa loucherie devient alors faramineuse. Son regard ressemble à un sablier, tout pincé du centre. Taille de guêpe, tu piges ?

Il colle son pif sur le cliché. Son gros tarin veiné, vineux, suintant, rampe le long du portrait.

— Oui, oui, je l'ai vu ! déclare-t-il avec ravissement. Un très blond ! Tout crépu. *Il est entré dans l'allée d'à côté !*

O grand saint Antoine, que de reconnaissance ! Quelle ineffable musique me joues-tu là avec ton luth en forme de canne. Je vous salue, toi et ton arthrose de la hanche ! Presque aveugle et ayant malgré tout décelé l'essentiel ! Ah ! que ton nom soit sanctifié ! Au fait, en dehors de ton sobriquet de Saint, comment t'appelles-tu ?

— Victorien Cottivet, me révèle ce béatifié d'exception.

Comme je voudrais m'agenouiller à cette terrasse et baiser ses grosses pantoufles qui malodorent à vingt mètres à la ronde ! Mais tu sais comme c'est con et mesquin, le respect humain ? Comme c'est bridant ? Comme il aveulit ? Je me contente de lui offrir un pot de beaujolais. On trinque. Je l'aime. Je devrais faire ma vie avec lui. L'emporter ! Lui servir une pension complémentaire.

— Vous êtes bien gentils, dans la police ! On croirait pas ! guillerette ce cher saint Saint (tagada saint saint !).

L'excellent beaujolpif que voilà ! Rien de commun avec ce qui t'est servi sous d'autres cieux, d'autres parallèles ou méridiens. Je le déguste comme s'il était consacré : avec dévotion rarissime.

— Dans l'allée d'à côté ? répété-je.

— Oui, oui.

— L'avez-vous vu ressortir ?

Et sais-tu ce qu'il me répond, l'amour ?

— Non.

Il répond « Non ». Ce qui veut dire qu'il se pourrait, j'insiste sur le conditionnel, que le fauve fût *encore là !*

— Ah ! bon, pendant qu' j' m'esquinte l' tempérament, môssieur se gamberge av'c les kroums du quartier ! s'exclame le Gros, essoufflé et furax.

Il est planté devant la terrasse, mains aux hanches, bitos en auréole.

— On dit « se goberger », rectifié-je, et non pas se gamberger.

— On cause comme on sait, fulmine le Sublime, l'essentiel, c'est qu'on fusse compris.

Il s'abat à notre table et, s'apercevant de l'âge chenu de mon compagnon de libations le salue.

— Bonsoir, l'ancêtre, la santé est bonne ? Le Rhône et la Garonne coulent toujours à Lyon ? l'apostrophe-t-il.

Mon bigleux à casquette, croyant à une boutade, se plisse davantage, sous l'effet de l'hilarité.

— Rien de rien ! m'annonce Bérurier. J'ai fait tout le tour d' c't' putain de place et aussi les rues agaçantes, mais personne il a vu le blondinet.

— Heureusement que monsieur, lui, porte des lunettes, riposté-je.

Je mets mon cofinéquipier au courant. Il prend du recul pour considérer l'immeuble.

— Tu croives qu'il est encore là ?

Même réaction que bibi.

— Qui sait ?

— On ne peut pas se lancer rien que les deux à l'abordage, on risquerait de déjanter dans les virages, assure-t-il.

— Je déteste mobiliser les confrères, et pourtant il va bien falloir s'adresser à eux si on veut entreprendre une opé convenable.

Le Mastar récolte tout le regret contenu dans ma voix et se dresse après avoir empli, puis vidé mon verre.

— Bouge pas, j' vais couler un œil.

— Hé ! casse rien, c'est fragile.

Geste d'insouciance, mais qui se veut rassurant. La porte cochère l'absorbe.

M. Victorien Cottivet se lève à son tour. Il s'excuse, mais c'est l'heure de sa soupe que Mme Beauminoud, sa voisine, lui prépare quotidiennement. Une soupe comme les siennes, ça vaut un plat. Un petit bout de Saint-Marcellin pour finir, avec un coup de rouge, et au dodo ! La télé, il l'a jamais voulue, M. Victorien. Trop chère ! Sans compter la taxe. Et les programmes pulvérulents qui transforment la vie en poussière.

Il s'entraîne dans sa niche en raclant le trottoir de ses semelles feutre. Bientôt le cercueil : il se fait tard. Je lui aurai apporté une petite bouffée d'aventure. Bon à prendre ! Sa vie est devenue si vachement rampante ! Y a seulement cinq six ans, après la mort de sa bourgeoise, il faisait quelques bonnes manières à la Beauminoud ; rien de géant, car il était déjà en préretraite question bitoune, M. Victorien Cottivet. C'était des branlettes affectueuses, entre voisins. Elle a même essayé, de le mâcher, mais devant l'inertie du bonhomme, a dû renoncer aux grandes fantasias charnelles. Lui aussi, a tenté de lui brouter minouche, pour ressusciter le bon temps.

Mais ça lui a flanqué la gerbe. Elle a le fion salé, la mère. L'existence est bourrée de chausse-trapes sournoises, quand tu ne te méfies pas. Le jour vient que t'as plus envie de rien, même pas d'exister.

Je le regarde disparaître sur ses trois pattes, le zizounet de sa gapette dressé comme un bouton de rose pompon. Tout chenu, tout voûté. Et l'idée me biche de lui courir après pour lui faire raconter sa vie grisâtre, froissée comme du papier cul. Ce serait bien d'écrire de Victorien Cottivet. Une œuvre à la Flaubert ! La vraie mission terrestre de San-Antonio. Et puis non, *ciao,* vieux mec ; je le laisse manger sa soupe.

Décidément, on renonce trop vite, voilà pourquoi on n'arrive à rien.

Sa Majesté Ronflante reste absente un bon quart d'heure. Quand elle revient, elle a sur sa large figure les éclats du triomphe.

Mon cœur n'en croit pas ses yeux, comme dit Sainte-Beuve dans sa correspondance secrète à Mme Hugo.

— Je tiens un truc, m'annonce-t-il. Recommande à boire !

— Dis d'abord !

— J'ai interviouvé une gamine que les parents sont divorcés et que la mère travaille à l'hôpital. Comme elle se plume, toute seule, elle joue dans l'escalier. Hier, elle a vu ton type blond sonner chez le toubib de l'immeuble, lagucho. Il y est resté une demi-heure, et puis l'est reparti av'c le toubib.

Sans broncher je hèle le loufiat pas sympa :

— Un autre pot de beaujolais, garçon !

Rien ne sert de tester,
il faut mourir à point.

Un des bons, des grands, des vrais restaurants de Lyon, c'est *Vettard,* place Bellecour. Tu peux y aller de ma part, tu y seras aussi bien soigné que les autres clients, te dire ! C'est là que nous nous présentons, Sa Majesté et moi, dans une délicate ambiance raffinée où tu vois déambuler des serveurs sympas, portant des assiettes coiffées de cloches d'argent. Et sous ces cloches, ma doué, une bouffe inattendue, jolie à regarder, délicieuse, odorante.

— Si on mangerait avant d' passer aux choses délicates ? suggère Béru. On a b'soin de se reconstituer avant d'entreprendre. Si Napoléon aurait eu le ventre vide, y n'aurait pas gagné la bataille de Ouatèrelo.

— Et puis quoi encore ? Tu veux p't'être ensuite draguer une sœur et te jeter en l'air au lieu d'intervenir sous prétexte qu'on est davantage disponibles avec les glandes essorées ?

Il replie sa gueule déjà déroulée comme une oriflamme. Et ma pomme, je vais en droite ligne à la caisse où la jolie patronne joue une sonate de Mozart sur une machine à calculer Sony.

On se salue, gratule, met à jour : « Comment tu vas-je, je vas-je bien et toi-ce ? » Tout ça.

— Je crois savoir, dis-je, que vous avez un dîner du Kimravi, ce soir ?

— En effet, dans notre grand salon du premier.

— Ne pourrait-on prévenir discrètement le docteur Vagiturne, qui participe aux agapes, que quelqu'un souhaiterait lui parler ?

— C'est facile.

Elle alerte un de ses péones et nous voilà grimpant l'escadrin à simple révolution pour gagner le premier où s'enfle un brouhaha de converses. Juste qu'on atteint l'antichambre douillette, avec canapé tendu de velours grenat, la jactance se tait au bénéfice d'un seul glandu chargé du discours.

— Grouille ! enjoins-je au jeune serveur, sinon tu vas prendre des postillons plein ta veste.

Il pénètre sur la pointe des panards. Par la porte entrouverte, on avise une immense tablée avec des notables saboulés heurf : hommes en bleu croisé, dadames en robes longues. Tout le monde attentif à roter avec élégance les bulles de son champagne dans le creux de sa main.

— Mes chers compagnons du Kimravi, attaque l'orateur, vous connaissez tous notre glorieuse devise qui est « Servir » !

Mon petit loufiat revient déjà car à lui aussi, sa devise c'est « Servir » et même qu'il est payé pour ça et qu'il doit se remuer le dargiflard parce que c'est le coup de chalumeau dans la strasse.

Un gros type pâlot, à l'œil souligné de bistre, le suit de peu. Il semble inquiet. En nous apercevant, Béru et moi, ses lèvres se décolorent tandis qu'au contraire, sa figure grisâtre rubiconne un brin. Je te parie une nuit d'amour avec ta femme contre une pipe de ta sœur que ce bonhomme trimbale un Himalaya de choses pas fraîches dans le casier à broutilles.

Je suis certain qu'il va bégayer en me parlant. Et de fait, ça ne manque pas.

— Doc...teur... Joa...nès... Vagi...turne, fait-il en mettant des points de suspension entre les syllabes. De quoi s'agit-il ?

Quelques centimètres carrés de carton plastifié, barré de tricolore et il commence un œdème pulmonaire, le bonhomme.

— Je... je nnnnne ccccomprends pppas.

Je tire le portrait robot de ma seconde vague et le lui fourre sous le pif, sans un mot. Si je parlais, ça le réconforterait peut-être. Il s'accrocherait à ce que je lui dis. Mais mon mutisme et mon regard l'anéantissent.

Ça dure indéfiniment. Dans le grand salon, l'orateur raconte comme quoi ils vont préparer une grande fiesta en faveur des petits enfants constipés du Puy-de-Dôme ; le super-gala avec des vedettes à en dégueuler partout : Lisette Remoulin, de l'Opéra de Mâcon ; le baryton Aristide Bruyant, le violoncelliste Jean-Clément Laracle, le...

Ma main ne tremble pas plus que ne tremblait celle du cher Adolf Hitler lorsqu'il saluait ses troupes en parade.

Béru a un pet causé par la faim (ensuite il en émet d'autres qui sont dus à la satiété). Il tente de l'étouffer, mais tu ne peux pas produire un son de flûte avec un hélicon basse. Alors son solo emplit l'antichambre de riches échos aux senteurs nocives.

Le médecin fixe le portrait robot, ses bajoues frémissent comme les lustres au début d'un tremblement de terre à San Francisco. La fixité de son regard lui emplit les yeux de larmes.

— C'est pas tellement ressemblant, hein ? finis-je par murmurer.

Il déglutit. Je rempoche le document.

— Suivez-nous, docteur.

— Mais je... ma femme est ici...

— On va l'informer que vous avez été appelé pour une urgence. Venez !

Pour le convaincre, je fais signe au Gros et le pétomane de garde tire une paire de menottes de sa poche, ramenant de ce fait à la surface : des élastiques tire-bouchonnés, des trombones cassés, une chaussette trouée, un couteau Opinel ébréché, de la monnaie, un quignon de saucisson moisi, une bougie de voiture plus quelques dents humaines dont certaines lui appartinrent.

Il dégage du foutoir les fameux bracelets nickelés qui assoient notre réputation.

— Jjjje vvvous en ppppрrie, balbutie le toubib.

Mais faut aller jusqu'au bout. Que, tant pis si on n'a pas de mandat d'amener. Clic-clac. Pas la peine de remercier, c'est pas un cadeau Kodak.

Jamais vu un client aussi docile que ce doc ! Effondré, il est. Passif comme une esclave nubile des *Mille et Une Noyes,* quand le sultan dégageait sa monstre rapière pour le décapsulage de printemps. J'ai tout de même la charité bien ordonnée de quitter les lieux par la porte privée, manière de lui éviter la traversée du restaurant. A chaque pas je crains qu'il ne défaille. Ses cannes paraissent télescopiques comme des fourches de moto.

Bon, je le fourre dans ma tire, le Gros s'étale auprès de lui à l'arrière sur le cuir somptueux. Une fois au volant, je défrime le toubib dans mon rétro.

— Alors, où allons-nous, docteur ?

Il tergiverse pas. On se pige sans tartiner. Le monosyllabisme nous suffit.

— Charbonnières !

Je connais parfaitement cette aimable station thermale de la banlieue lyonnaise pour y avoir perdu quelques billets de banque et gagné le cœur d'une dame salope. Sans ajouter la moindre broque, je déhotte.

La maison part un brin en sucette. Sa peinture, jadis blanche, s'écaille, les volets semblent lépreux, le petit parc ceignant la demeure est retourné dans les friches burgondes.

J'ai stoppé dans un chemin bordé de grilles auxquelles s'accrochent des glycines odorantes que la nuit exalte. L'instant d'en savoir un tantisoit plus est venu.

— « Il » est là ? fais-je au médecin.

Acquiescement de Vagiturne.

— Seul ?

Rebelote.

— Est-il logique que vous veniez le voir ?

— Pour lui apporter du ravitaillement, balbutie le bonhomme, mais c'était prévu pour demain seulement.

Je vais prendre mon sac de voyage dans le coffre.

— Ote-lui ses menottes, Gros !

Sa Majesté obéit.

— Allez-y ! docteur. Vous êtes convenus d'un code pour frapper ?

— Je dois cogner six coups à la porte de derrière.

— Faites-le !

J'adresse un geste péremptoire à mon pote et nous courons sur la pelouse intondue en direction d'un petit perron de quatre marches menant à une porte vitrée. Avant de nous embusquer, de part et d'autre de la lourde, je chuchote au Mastar :

— Pas question de chiquer les comiques, Gros. Ce mec, n'oublie pas que c'est de la dynamite !

— J'oublille pas ! riposte avec une certaine emphase mon valeureux compagnon.

Et alors, bon, toujours flageolant, le médecin se pointe, mon sac de cuir en main pour faire vrai. A pas de plus en plus mous il gravit les degrés envahis par une mousse de mauvais aloi. Toc ! toc ! toc ! toc ! toc ! toc !

Le bruit de ses phalanges contre la vitre déchaussée retentit dans le silence nocturne.

Et puis rien. Un long instant s'écroule.

Le propriétaire de la villa remet ça.

Toujours rien.

Indécis, le toubib se retourne comme s'il attendait de nouvelles instructions de ma part. Mais moi, placardé derrière des troènes, je ne bronche pas. On est en train de chasser le renard. Ce William de Sotto, j'en mettrais ta bite à couper, est bien trop madré pour déponner de but en blanc. Terré dans la masure, il observe. Pourvu que ce con de médecin pourri ne me parle pas ! Déjà, dans cette bizarre posture d'attente, il donne à penser qu'il n'est pas venu seulabre, le nœud !

Comme je ne me manifeste pas d'un iota, il frappe pour la troisième fois.

Je commence à me demander si le fauve n'a pas pris la tangente avant notre arrivée ! Mais mon célèbre quarante-cinquième sens m'avertit de sa présence. Je le hume, comme un chien détecte des rôdeurs invisibles.

Seulement quoi ? On ne va pas se faire passer un disque de Placido Domingo en attendant qu'il se manifeste ! Note que je l'adore dans « Otez l'Eau », le Placido, et encore mieux dans : « Elle me fait pouet pouet », mais y a temps pour tout, non ?

La situation commence à nous plumer la nervouze, les trois. Pour couronner, voilà mon Béru qui loufe intense, comme en période de gibier dans les restaurants. Le pet à épisode, quasiment harmonieux, avec des modulations à n'en plus finir, des accords plaqués, des mouvements andante.

Un autre bruit lui succède. Un léger sifflement

ponctué d'un choc sourd, puis d'un cri. Ensuite silence. Puis un gargouillis étrange retentit, qui fait songer à un gargarisme d'enfant.

Terré dans ma plate-bande en friche, je me pose une série de questions dont je vais tenter de te donner une vague idée en usant des signes de ponctuation suivants :

« ????? !?????!?????! ?????!, etc. ».

Tu m'as compris, tu m'as ? Jockey !

La nuit reste sereine malgré le gargouillis déplaisant.

Un deuxième sifflement se produit encore, avec, en fin de course, le même choc. Cette fois pas de cri, pas de gargouillis, mais le docteur Vagiturne tombe du perron à la renverse et demeure inanimé sur les opus incertum de l'allée.

Cette fois-ci, j'ai pigé. Tout ! C'est écrit en lettres de néon dans l'obscurité du parc. Je sais pourquoi de Sotto a exigé de son hôte qu'il lui rende visite par la porte de derrière. C'est parce que celle-ci se trouve à dix mètres à peine d'une petite resserre de jardinier. Et moi, Antonio, de te parier une carrière de marbre contre tes calculs rénaux que le fugitif a élu domicile dans la resserre et non dans la villa, manière de pouvoir filer en cas de danger.

Depuis la guitoune, il observe les allées et venues, piges-tu ? On le croit dans la maison, mais il se trouve à l'écart d'icelle. Notre venue ne l'a pas pris au dépourvu. Peut-être ne nous a-t-il pas vus nous pointer, le Gravos et moi, puisque nous marchions dans l'ombre, sur la pelouse. Seulement quand le toubib s'est annoncé et a frappé contre la vitre, il aura tout de suite aperçu le Gros placardé contre le perron, Béru se tenant en effet du côté de la resserre. Donc, c'est Grosse Pomme qui émet ce gargouillis ! De Sotto a-t-il défouraillé sur les deux hommes avec un feu équipé d'un silencieux ? Je ne le pense pas. Je connais trop bien le bruit d'un pistolet à silencieux. Là, il s'agit d'autre chose. Je crois deviner qu'il a neutralisé mes compagnons au poignard. Un lanceur de première !

Il faut que je porte secours au Gros ! *Quickly !* Seulement si je bronche, il va me liquider itou. Mon sentiment est qu'il ignore ma présence. Il doit penser que Vagiturne s'est apporté avec un homme de main dans l'intention de le liquider. Il se dit que si la police avait donné l'assaut, il aurait eu droit à l'opération d'envergure : quartier bouclé, projos, tireurs d'élite plein les frondaisons.

Me voilà confronté à un cas de conscience terrifiant. Voler vers les victimes, ou bien me terrer et attendre que le gars se manifeste. Car il reste terré, le misérable. Il veut s'assurer que personne d'autre ne faisait partie de la sauterie. Paré pour une troisième « intervention », il guette ! Alors moi, la rage au cœur, le sang en furie, les nerfs branchés sur la haute tension, je décide d'attendre. De l'attendre ! Silencieusement, je dégage le camarade Tu-Tues de son holster (équipement gracieusement mis à ma dispose par mes collèques lyonnais). Du pouce, je libère le cran de sûrété. Me reste plus qu'à prier pour Alexandre-Benoît et à dominer l'ankylose si je veux lui faire régler ses forfaits, le salaud !

Je continue de percevoir le râle de Béru de l'autre côté des marches. Signe qu'il vit encore, lui, ce qui ne doit plus être le cas du docteur, foudroyé au pied du perron. J'ai beau tendre l'oreille à l'extrême, je ne perçois que la plainte lancinante de mon ami et le doux froissement des branchages sur lesquels vagabonde la brise ; plus, de temps à autre, la complainte d'un chat-huant.

Les minutes se tissent, interminables. Le lanceur de navajas est-il parti ? J'ai des doutes. Pourtant je me dis que j'aurais perçu son pas sur les brindilles qui jonchent le sous-bois et s'y accumulent d'année en année.

Je réprime un tressaillement en voyant arriver une pièce de bois mort sur le perron. Celle-ci heurte la porte vitrée, produisant un boucan du diable. Ouf ! Il est toujours là, convaincu qu'il n'y avait personne d'autre que Béru, mais voulant tester néanmoins le calme ambiant.

Rien ne bronche. Du temps, encore, toujours... Ce temps qui nous entraîne si vite à l'abîme et qui nous paraît interminable parfois, cependant. Je ne sens plus mes jambes vaincues par l'immobilité. Des milliards de sales fourmis les investissent, mais je resterai immobile, car au plus léger frémissement de ma part, « il » interviendrait.

« Allons, l'exhorté-je mentalement, vas-y, fumier ! Montre-moi un peu. Tu flanches, hein ? Ta prudence s'apprivoise ! C'est fou, l'optimisme, chez l'homme : il finit toujours par prendre le dessus. Tu hésites encore, sachant bien que choisir est un renoncement, n'importe ton choix. Viens, l'ami ! Approche ! L'air est léger, le silence capiteux, la nuit douce. Avance-toi, fleur de merde ! »

Je balance tout ce dont je dispose en fait d'ondes péremptoires. Ma volonté est si intense qu'elle doit fatalement investir la sienne.

« Plus rien ne bouge, l'ami. Deux cadavres gisent là, au clair de lune ; car Bérurier a cessé de râler. Tu contrôles absolument la situation. Viens regarder ton tableau de chasse ! »

Et alors, les branchages remuent, les fougères s'écartent. L'homme paraît ; il m'obéit ! Je le trouve plus grand que le duc de Guise que j'ai bien connu. Beau. Des cheveux blonds frisés serré, presque crépus, accaparent la clarté lunaire qui le nimbe d'un halo (ne coupez pas !) irréel.

J'attends encore, me réfrénant à mort. Il tient un

fusil lance-harpon calé sous son bras. Décidément, c'est son arme de choc à ce tueur sauvage ! On dirait qu'il répugne à employer les armes à feu. Pour lui, tuer c'est enfoncer de la ferraille dans de la chair.

Tel qu'il est à présent, debout devant le cadavre du doc, je pourrais le farcir de plomb en quatre dixièmes de seconde. Lui vider le chargeur dans la poitrine. Tir groupé : rrrran ! Et son guignol explose ! Mais l'Antonio, tu connais sa sensibilité de jeune fille en fleur ? Il enrage, il endésespoire, il envieillessennemise, il promet crime et châtiment, mais à la fin de l'envoi, il touche pas. Renâcle ! Il regarde l'homme odieux en se disant que *c'est* un homme. Qu'il a fallu une somme inouïe de hasards pour qu'il soit là : qu'il se compose de milliards d'éléments fabuleux rassemblés par la nature. Tout ça... Et pourtant je suis grelottant de haine, sous ma philosophie de somnambule.

Je vise. J'ai dû faire un mouvement con, au moment où je presse la détente, je me morfle un choc à hurler dans la poitrine. J'ai le souffle absent, des sueurs vertes et glacées me sortent instantanément des ports de l'appeau (1). J'aime ma fesse (2).

Je ne perds pas conscience. Mais quand tu ne respires plus, hein ? Ferme la bouche, pince-toi le nez et compte jusqu'à dix mille, tu comprendras !

J'essaie de compenser. Ne trouve pas de solution. J'ai beau faire comme si je refusais de respirer, mes soufflets voraces sont en manque et réclament. Quelle chiasse !

Mes yeux fous aperçoivent le tueur agenouillé

(1) San-A. veut parler des pores de la peau. Faut-il que la commotion ait été violente pour qu'il commette une telle confusion !

(2) Là, il a voulu dire « Je m'affaisse » ; décidément, on ne compte plus ses fautes de carre verbales.

auprès du médecin. Non pour le fouiller ou l'examiner, mais parce que ma bastos l'a touché et que l'impact l'a mis au sol. J'avais dû bien viser car son épaule gauche m'a l'air naze. Y a un trohu large comme un coquetier pour œuf d'autruche dans son veston, un peu au-dessous de l'omoplate. L'homme fait un effort et retrouve la position verticale, qui n'est certes pas idéale, mais qui sied si parfaitement aux vivants.

Je halète, preuve qu'un peu d'oxygène se faufile dans mes éponges. Allons, l'Antoine, pense à maman ! Tu ne vas pas laisser ce cancrelat blond te ravir à elle !

J'ai la force de soulever mon pétard. Cette fois, je le prends plein cadre, le soi-disant de Sotto. Que justement il s'avance vers moi, tenant son fusil par le bout du canon.

« Braoum oum oum oum ! » fait mon soufflant dans le parc. La première fois que j'ai tiré, je n'ai pas perçu l'écho tellement j'étais commotionné.

Le tueur a bondi en arrière. Un instant, je distingue son visage arrosé par l'astre des nuits, comme l'écrivaient mes camarades Alfred (1). En fait, ce beau garçon a une frime de reptile. Ma deuxième praline s'est fichée dans sa hanche. Il porte sa main droite à sa ceinture, pour palper sa seconde blessure, crois-tu ? Non : pour y prendre un revolver à barillet nickelé avec un petit groin de bull-dog méchant.

Je m'allonge sur la terre humide, le gazon est mangé par une mousse vénéneuse. Des touffes d'orties cinglent mon visage. Ça fait mal, mais je respire. Je porte une main à ma poitrine. La flèche y est plantée, seulement, tu vas rire (ris tout seul, moi je ne peux pas pour l'instant) : mon ange gardien,

(1) San-A. veut parler des duettistes Musset-Vigny, sans doute.

qui n'est pas un lavedu, s'est arrangé pour qu'elle transperce mon portefeuille et seule sa méchante pointe en forme de hameçon s'est enfoncée dans mon téton gauche. L'impact a été d'une telle violence qu'il m'a coupé la respirance. Cela dit, j'ai tout de même quelques centimètres d'acier coincé entre deux côtes et l'émerillon me taquine laidement.

Je te raconte tout ce bigntz, mais pendant ce temps, de Sotto ne perd pas son temps et défouraille dans mon massif de troènes. Il composte comme pour figurer le 5 d'un dé à jouer : un coup au centre et quatre autres en hommage aux points cardinaux.

Si je n'étais pas allongé, j'écoperais de ses olives. L'une d'elles, d'ailleurs cigogne la pointe de ma godasse.

Un clic ! m'annonce que son barillet est vide. A mézigue, donc, pour le ballet final. Cette garcerie de flèche bloque mes mouvements. Pas mèche de chiquer les fringants avec cet acier fiché dans le burlingue. Bon, ben, on va s'arranger autrement, Armand !

Je bande mon corps (qui ne rechigne jamais à accomplir ce genre de performance). Je prends appui sur son occiput, histoire de relever la tête et de pouvoir regarder en arrière. Buffalo Bill !

« Braoum oum oum oum ! » « Braoum oum oum oum ! » « Braoum oum oum oum ! » « Braoum oum oum oum ! » Tout le potage ! Posément. Grandes manœuvres de printemps.

L'homme a valdingué en arrière. J'ai vu gicler du sang de sa personne. De sa gueule, peut-être bien ? Et d'ailleurs, aussi. De partout, quoi ! Passoire !

Maintenant, va falloir continuer à exister, les gars ! Pas fastoche après une telle nuit. Me mettre sur mon séant, avec la flèche qui me pendouille sur le devant en arrachant ma bidoche à cause de son poids, voilà qui implique un colossal effort.

J'y parviens pourtant. Puissance de la volonté. Première pause : assis. Deuxième : debout ! Au secours, maman ! Voilà ! J'ai l'air finaud, moi, avec ce truc planté dans la poitrine. Je ressemble à un cadran solaire ! Que faire ? L'arracher ? Trop dangereux. Ça nécessite une intervention. J'ai pas envie de me dépoter une livre de barbaque ! Alors, je soutiens la flèche de la main gauche et me mets en marche.

Le doc a été planté salement : en pleine gorge. Carotide sectionnée. Le couteau a été lancé avec une telle violence qu'il a la tronche à demi décollée. Pour lui, c'est finitos, en plein. Le cœur grondant, je m'approche de Béru. Il se tient tout bizarrement, l'Enflure. Tu croirais une pauvresse sous le porche d'une église, kif les gravures du siècle dernier dans *la Petite Illustration.*

Il respire encore, par légères saccades. Sa tête est appuyée contre le perron de ciment. Lui, il a morflé le ya entre les épaules. Il paraît si démuni, si plus rien, mon gros Béru, que j'en ai l'âme recroquevillée comme tes panards dans des pompes vernies trop petites de trois pointures. Il ressemble à un énorme petit garçon abandonné.

— Tu m'entends, Alexandre-Benoît ?

Un léger râle me répond.

— Tiens bon, mon mec, je vais appeler du secours. Economise-toi à bloc !

Je regarde alentour pour voir dans quel état se trouve de Sotto le tueur. Je ne découvre qu'une flaque de sang. Et puis une traînée rouge s'en allant en direction de la grille. Eh, dis voir, c'est Raspoutine, ce type ! Faut quoi pour le mettre aux absents ? Lui tirer dessus à bout portant avec un missile (dominicil) terre-terre ?

J'aimerais filer sa piste. Il n'a pu aller loin. Truffé

de plomb comme le voici, il doit agoniser un peu plus loin, dans les fougères fricheuses.

Du secours ! Vite ! J'en ai promis à Bérurier. Moi-même j'en ai grand besoin. Alors je me rabats sur la villa. Elle a fatalement le bigophone : un médecin, tu penses ! Je place péniblement un nouveau chargeur dans mon casse-noix et je craque la serrure de deux balles. Pas le temps de m'atteler au jeu des sept erreurs avec mon sésame. Je ne fais plus dans la dentelle, le temps presse !

— C'est grave, docteur ?
— La moindre émotion peut vous tuer !

Poum !

— C'est grave, docteur ?

Un jeune interne brun corbeau, avec des sourcils en astrakan et des yeux à transpercer n'importe qui, voire n'importe quoi, pis qu'un laser.

Cette question s'applique à Béru, naturellement. Il me fait deux trous dans le front avec son regard, puis deux autres dans les joues, toujours par le même procédé, et enfin m'énucle (je préfère être énucléé qu'écouillé).

— Très ! me répond-il.

— Il peut s'en tirer ?

— Improbable !

Tu crois qu'il va me faire un cours sur la blessure de Pépère ? Zob ! Il est vanné, le zélé. Deux heures d'opération en pleine noye, avec une équipe réduite, C'est pas du saint-honoré d'Eylau à la crème !

J'essaie d'avaler ma salive. Non, ça ne passe pas : j'ai du coton hydrophile au fond de la gargue. Je me contente d'un acquiescement confus. Juste signifier que j'ai entendu et pris note.

Le principal Monin, qui se tient à mon chevet, reste silencieux jusqu'à ce que l'interne se soit cassé. Puis il murmure avec compassion :

— Vous l'aimiez beaucoup, n'est-ce pas ?

Ce temps passé me flagelle jusqu'à l'os.

— Je l'aime ! rectifié-je. Je vais vous demander une faveur, monsieur le principal.

— Tout ce que vous voudrez, San-Antonio.

— L'épouse de mon confrère, l'inspecteur Blanc, se trouve à son chevet à l'hôpital de Chambéry. Je voudrais que vous demandiez à vos homologues savoyards de la faire amener d'urgence au chevet de Bérurier. Cette nuit même, en lui précisant que celui-ci a essuyé la même blessure que Jérémie.

Monin fait taire sa surprise et donne des instructions à son chauffeur qui l'attend dans le couloir. Ensuite il revient à mon auprès.

— Et vous, San-Antonio, comment vous sentez-vous ?

— Je souffre pas mal, merci, mais cela va aller. Le temps de me remettre des vapes consécutives à la petite intervention et je reprendrai la chasse au fauve.

Le principal hoche la tête.

— Nous ne parvenons pas à comprendre comment cet homme a pu se défiler après avoir perdu une telle quantité de sang. Du perron de la villa à votre voiture, il s'est vidé d'un bon litre, selon mes hommes.

— Un hyper-coriace, soupiré-je. Mais je l'aurai. Vous avez diffusé le signalement de ma tire et son numéro minéralogique ?

— Cela vient d'être fait. Avant midi nous aurons fatalement des nouvelles, car les Maserati blanches ne sont pas légion.

— Il le sait, je murmure. Aussi ne va-t-il pas garder ma bagnole très longtemps. A moins bien sûr qu'il ne soit au bout du rouleau.

*
**

Stephen Black abaissa le miroir du rétroviseur intérieur pour se regarder. Il se jugea épouvantable. Il était livide et ensanglanté à cause de sa blessure au cuir chevelu. Une balle l'avait atteint au-dessus de l'oreille gauche, sans toutefois briser le temporal, mais la plaie était laide et n'en finissait pas de saigner.

Black coupa le moteur et se laissa aller dans le cuir souple de son siège, la nuque contre l'appui-tête. Il avait le corps en feu et la fièvre montait en lui. Il fit le bilan de ses blessures : balle à la tête, donc, balle dans l'épaule, balle dans la hanche, plus quelques vilaines zébrures à la cuisse et au ventre. Il s'était laissé arroser d'importance pour la première fois de sa vie. Et le comble c'est qu'il avait dû lâcher « ses positions » et s'enfuir comme un bleu ! Les papiers de service trouvés dans la boîte à gants lui avaient révélé que ce somptueux véhicule appartenait à un flic français et il enrageait. Ce salaud de commissaire San-Antonio l'avait contraint à fuir ! Il tenait absolument à le crever, car il ne doutait pas un instant qu'il se tirerait de ce mauvais pas. Jusqu'ici, Stephen Black avait toujours bénéficié d'une bonne étoile et il continuait de croire en elle. Il sentait que ses blessures étaient graves mais non mortelles. En assistant au guet-apens du docteur Vagiturne, il avait cru que le médecin assassin comptait se débarrasser de lui en douceur ; pas un instant il n'avait pensé à une intervention policière.

Il ferma les yeux, tentant de dominer sa souffrance. Il devait dresser un plan d'action pendant qu'il disposait encore de sa lucidité et de quelque énergie. Black savait que le mal gagnerait peu à peu du terrain et finirait par le neutraliser. Si on ne le soignait pas énergiquement, il allait devenir une loque hagarde. Mais où trouver refuge ? Retourner à Lyon pour « exploiter » sa seconde adresse ? Trop risqué. On devait commencer à rechercher cette foutue voiture italienne, si aisément repérable.

Il venait de se ranger sur un parking presque désert de l'autoroute Lyon-Chambéry-Genève, non loin de la petite construction qui proposait aux automobilistes des toilettes, des lavabos et le téléphone. A une centaine de mètres devant lui, un camion semi-remorque italien stationnait. Sans doute le routier piquait-il un somme. Le tueur fut tenté d'aller « réquisitionner » le conducteur. Il se retint en songeant qu'il devait y avoir probablement deux chauffeurs et qu'il ne se sentait pas capable d'exécuter une action de commando avec le corps criblé de balles.

Il tourna la clé de contact afin de pouvoir actionner les glaces électriques. Il avait trop chaud. Comme il achevait cette manœuvre, l'habitacle de la Maserati fut illuminé par des phares. Stephen Black crut à une intervention de la police et dégaina son revolver. Ce n'était qu'un automobiliste normal qui stoppa devant le pavillon des toilettes. Il y avait un couple à bord ; la femme descendit et pénétra dans la construction. Black hésita. Une vague brûlante le submergeait. Il prit dans sa poche un petit étui pharmaceutique contenant des tablettes de couleur rose. Il en mit deux dans sa bouche qu'il croqua avec une voracité de chien affamé. Il s'agissait de vitamines puissamment reconstituantes qui, dans les cas difficiles, lui donnaient le coup de fouet décisif.

Un mieux ne tarda pas à s'opérer. Il ferma les yeux. L'idée qu'il pût mourir de ses blessures ne lui venait même pas. Cet homme se sentait à ce point sûr de soi qu'il conservait un moral de vainqueur. Une période pénible allait suivre ; il allait devoir se faire soigner et la chose, dans sa position, n'était pas facile à régler ; mais il gardait confiance. Tout se jouerait au cours des deux heures à venir. Il fallait

« tenir le coup » (1) absolument. Cent vingt minutes d'énergie. Cent vingt minutes à conserver sa lucidité et « sa force de frappe ». Après cela, il pourrait se mettre pendant quelque temps en réserve de ses activités car sa « mission » se trouvait très avancée.

Il rouvrit les yeux. Les choses devant lui paraissaient stables. Rien ne « tournait », tout restait d'une banalité quotidienne.

Stephen actionna la portière gauche à l'aide de sa main droite. Avec une lenteur fantomale, il se coula hors de la voiture et, en titubant, s'approcha de celle qui venait de stationner derrière « la sienne » : une grosse BMW bleu métallisé. Le conducteur attendait son épouse en faisant un petit break, la tête renversée, les mains croisées sur son ventre. Stephen enregistra que le véhicule était immatriculé en Belgique. Un enfant enveloppé d'un plaid dormait sur la banquette arrière.

L'Américain se déplaçait silencieusement, cependant, lorsqu'il parvint à la hauteur de l'automobiliste, ce dernier tressaillit et redressa le buste. Un lampadaire répandait sur cette zone du parking une lumière blafarde. Le Belge constata que l'arrivant était plein de sang et s'en alarma.

— Un accident ? demanda-t-il.

— Non, on m'a agressé, répondit Black. Pouvez-vous me conduire à l'hôpital ?

L'interpellé regarda les vêtements rougis du blessé.

— Ce serait mieux que j'appelle pour une ambulance, fit-il. Je vais téléphoner à la police qui s'occupera de tout !

Il descendit à moitié de son véhicule. Il avait déjà ses deux pieds sur l'asphalte lorsque Stephen lui braqua son revolver entre les yeux.

(1) En français, dans la pensée de Stephen Black.

— Pas de zèle ! fit-il sèchement. (Il ajouta :) Je tue facilement.

Pas une seconde, le touriste belge ne douta que ce fût vrai. Le regard de l'homme ensanglanté lui donnait froid aux fesses.

Black fit un effort supplémentaire pour pénétrer à l'arrière de la grosse automobile. Il replia d'un geste les jambes de l'enfant endormi, s'assit et lança au conducteur qui était demeuré assis de profil, les jambes toujours hors de sa voiture :

— Je tue même les gosses quand c'est nécessaire. Assieds-toi !

L'autre obéit, assommé par ce coup du sort. Sa femme revint sur ces entrefaites. C'était une personne encore jeune mais grassouillette, pleine de bijoux. Elle prit place dans la BMW sans voir Black. Ce ne fut qu'une fois sa portière claquée qu'elle eut conscience d'une présence insolite et se retourna. Elle eut un léger sursaut et regarda son époux.

— Tu prends des stoppeurs, maintenant, Aloïs ?

Sa voix était vibrante de reproches. L'époux resta muet.

— Oui, fit Stephen Black, il prend des stoppeurs, c'est très gentil à lui.

L'ouverture des portes avait actionné la lumière dans l'habitacle. La grosse femme réalisa alors que leur passager était couvert de sang.

— Vous êtes blessé ! s'écria-t-elle, sans compassion. Vous allez tacher les coussins !

— Ils le seront bien davantage quand j'aurai troué vos sacrées paillasses de merde ! riposta l'homme traqué. Allez, en route, on va à Genève !

— Mais nous, c'est l'Italie ! lança la grosse femme.

— Tous les chemins mènent à Rome ! soupira Stephen Black. On roule à bonne allure, mais sans dépasser la limitation de vitesse. A la frontière je cacherai mes blessures avec le plaid et je prendrai votre con de gosse sur mes genoux. Ne vous inquiétez pas, j'ai des papiers.

Il passa la main dans une poche anormalement aménagée dans la doublure de son veston et en ramena un passeport britannique au nom de Quentin Brink. Ce simple geste l'avait épuisé et inondé d'une sueur glacée. Il essaya de trouver une position supportable, mais son corps flambait comme s'il eût été livré aux flammes d'un brasier.

Celui de l'enfer ?

C'est la douleur qui me réveille. Un mal lancinant, fouailleur. J'ai l'impression qu'on me charcute la poitrine à l'aide d'une fourchette à fondue chauffée au rouge.

Une douce infirmière entre sur ces entrefesses et s'approche de mon lit. Pile comme j'aime : menue mais bien proportionnée, châtain clair avec des mèches cendrées, une bouche terriblement charnue et un regard bleu sombre qui veut tout apprendre.

— Vous souffrez ? me demande-t-elle.

— Pas mal, merci. Vous n'auriez pas une petite piquouse calmante dans votre panoplie ?

— Le professeur n'aime pas trop ça. Il faut savoir endurer la douleur.

Facile à dire. Néanmoins, j'arrache un sourire de ma face, comme le chante à peu près mon pote Aznavour. Elle est nue sous sa blouse, que juste un slip (je distingue l'élastique). Un gabarit pareil c'est le module girouette, comme je dis puis toujours. Tu l'enquilles sur Popaul et tu fais tourner. Quand c'est vissé à bloc contre ton bas-ventre, tu opères la rotation inverse.

— C'est dommage, balbutié-je.

— Qu'est-ce qui est dommage ? s'inquiète la survenante.

— Souvent, dans mes *books,* je carambole une infirmière, lui expliqué-je. Si je recommence cette fois, les lecteurs vont prétendre que je ne me renouvelle pas.

Interdite, la petite grand-mère ! Elle croit au délire. Elle vient me tâter le pouls, et comme ma main se trouve à deux centimètres de sa blouse, je finis le voyage à pied en poussant mon vélo et mon impétueux médius se faufile par l'ouverture du vêtement. Me voici au contact d'une peau ferme et tiède. Dès lors, ma douleur ferme sa gueule pour laisser sa chance aux sens.

D'ordinaire, un gonzier qu'on sort d'un bloc opératoire a le zifolo plat comme l'encéphalogramme de Napoléon Ier. Mais dans ma tribu, la grosse veine bleue n'irrigue bien qu'à la verticale.

— Quatre-vingt-quatre de pulsations ! annonce l'infirmière.

— Ce n'est qu'un début, lui fais-je. Regardez un peu mon drap qui grimpe, là-bas ! Vous ne devinerez jamais avec quoi je fais ça !

Pas bégueule, la gentille. Elle fait mieux que regarder : elle passe sur le drap une main légère qui en a palpé d'autres.

— Vous êtes sûr que ce n'est pas une prothèse ? demande-t-elle.

— Goûtez, vous verrez !

Elle rougit un peu, pour la forme.

— Vous êtes un drôle de pistolet !

— A répétition, ma gosse, ce qui n'est pas négligeable. Quand j'entreprends une merveilleuse, je ne la laisse qu'après l'achèvement des travaux, lorsqu'on a obtenu le certificat de bonne fin de l'Urbanisme.

— Quand vous sortirez, on en reparlera, promet la féerique.

— Alors, parlons-en tout de suite car je compte sortir dans vingt minutes.

— Vous n'y pensez pas ! Le professeur dit...

— Le professeur dit et moi je fais, c'est ce qui différencie l'homme d'action de l'intellectuel. Embrasse-moi, môme, je suis pressé !

Cette fin de réplique empruntée à la filmographie de Marcel Carné subjugue la mignonnette. Elle se penche après un regard craintif en direction de la porte.

Galoche prolongée. A cet endroit, dans un film, le réalisateur colle de la musique douce pour souligner l'effet. A la place, nous avons droit à une toux. Désuniance spontanée. Un inspecteur lyonnais se tient dans l'encadrement, plutôt gêné et un rien égrillard.

— Mande pardon, commissaire, je ne savais pas que c'était l'heure de vos soins, il déclame plaisamment.

— Vous tombez bien, Hapique, rassuré-je. Soyez non seulement un confrère, mais un frère : sortez un moment dans le couloir et ne laissez entrer personne, strictement personne, pas même le directeur de l'hosto s'il en manifestait l'intention : j'ai un petit problème délicat à régler.

Il cligne de l'œil.

— Prenez votre temps, commissaire.

Et se retire physiquement, mais je parie qu'il reste avec nous par la pensée.

— Comme vous y allez ! murmure la petite.

— Tu sais ce qui nous reste à faire ? demandé-je en rabattant le drap sur mon triomphe.

— Je crois, fait-elle en laissant quimper ses sabots de bois à semelle caoutchoutée pour grimper sur mon pieu.

Galant, je déboutonne sa blouse. Amazone née, elle m'enfourche. C'est beau, tu sais !

En règle générale, c'est le piston qui se déplace à l'intérieur du cylindre. Dans le cas hautement et fabuleusement présent, c'est le cylindre qui s'active, tandis que le piston se contente de lui proposer l'inertie de sa masse. Mais quelle masse ! D'armes !

La jolie escalade et dévale alternativement mon mât de cocagne à une vitesse qui va croissant. Sa frénésie me file le tournis. Aussi, fermé-je les yeux et m'abîmé-je en des réflexions sans rapport avec notre activité de l'instant. Je pense qu'il faut être un sacré saligaud de tendeur, un forniqueur inguérissable, un goret en éternelle transe pour pratiquer ce sport charmant alors que le « monstre » m'a échappé après avoir mis à mal mon second coéquipier, tout comme il a terrassé le premier et s'être foutu de ma gueule en me fauchant ma Maserati de rêve. Le tueur au fusil sous-marin va encore frapper. Peut-être parviendra-t-il à nous filer entre les mains en fin de compte et à regagner les *States* pour remettre à Ron Silvertown ce qu'il voulait. Car, nul doute qu'il l'ait obtenu.

Mathias m'en a appris long comme la déclaration d'impôts de M. Doumeng sur le mystérieux Américain : un magnat louche, qui contrôlerait des syndicats, ferait jeu égal avec les plus grands caïds de la Maffia, coifferait quelques-unes des plus importantes banques des Etats-Unis. Riche à crever. Gardé par des spécialistes et des moyens de protection sophistiqués, il mènerait une vie mystérieuse tantôt dans sa propriété de Floride, tantôt dans son immense appartement de Park Avenue à New York. Pas de femmes, pas de gitons. Une unique passion : les affaires. Cet homme-là se fait laver les pieds par des politicards haut placés et les plus grands lui bouffent dans la main. Ils inspire la peur et, pour lui, la mort de quelqu'un c'est un simple coup de téléphone à donner.

— Oh ! Oh ! Oh ! Oui oui oui oui ! crie soudain la petite infirmière.

Là, elle m'arrache aux méditances. Elle est devenue une machine en folle activité ! Putain, si elle lubrifiait pas comme un carter de bagnole, je coulerais une bielle dans les dix secondes. Je la vois mal, d'où je me tiens, manquant un peu de recul pour vraiment apprécier le tableautin, mais ce que j'en découvre me dynamise. Quelle superbe figure de Proust ! La bouche béante, mangeuse de vent, le regard surexposé, les narines pincées, elle se tient les seins à deux mains, les malaxe, les affûte.

Elle a cessé de s'agenouiller et n'est plus qu'accroupie sur l'objet du délire. Comment maintient-elle son équilibre, la chérie ? Alors là, mystère. Une vitesse pareille sans point d'appui, faut s'y risquer ! T'es le sultan de Fouynotour, tu vois ça, t'achètes. Tu la promeus cheftaine de harem ; avec le treizième mois payé et autorisation d'utiliser le godemiché du sacre pour te baliser le prosibe !

Etourdissante gamine ! Si vraiment faite pour guérir tous les maux, et avant tout, la bandaison à évolution rapide. La voilà, par contre, qui crie à la terre entière qu'elle approche du panard.

La porte s'ouvre et l'inspecteur Hapique pénètre furtivement dans ma carrée.

— Je suis obligé de brancher la tévé pour couvrir les clameurs, me dit-il, sinon je réponds plus de rien, mais continuez, je vous prie.

Il me choisit « C'est encore mieux l'après-midi », où fort opportunément, le groupe Branlett'Song est à pied d'œuvre avec toute la haute tension souhaitable. En regagnant la sortie, il nous coule un regard admiratif et murmure :

— Seigneur ! Faut vraiment le voir pour le croire !

A peine a-t-il relourdé que mon amazone hurle que « Ça y éééééééééééééééé ». Le vociférateur des *Branlett'Song* affirme, de son côté, en chatouillant le nombril de son banjo que *Here is the love.*

Fin du chapitre dégueulasso-marginal.

Il vaut mieux
être l'héritier d'un homme économe
que d'un homme riche.

Moi

— Vous pouvez marcher ? s'inquiète Hapique, en arrondissant galamment son bras afin que je m'y agrippe.

— Non, dis-je, mais je vais faire semblant.

Effectivement, c'est pas de la tarte, quelques heures seulement après avoir subi une intervention accompagnée d'une anesthésie de mettre un pied devant l'autre et de recommencer. D'autant plus que la chevauchée fantastique dont je fus la monture (non moins héroïque) n'était pas des plus reconstituantes.

Je cahin-cahate le long du large couloir où des birbes déliquescents croupissent comme des plantes d'appartement non arrosées dans des chaises à roulettes.

— Vous avez vu Bérurier, Hapique ?

— Il est aux intensifs.

— Vous avez pu entrer ?

— Il a bien fallu que j'introduise votre négresse puisque vous l'exigiez. Ça a fait un de ces cris dans la bastide !

Il a l'accent d'en bas, Hapique. C'est encore un policier qui ne ressemble pas à un loubard. Au contraire, il est du genre tiré à quatre épingles, bien que son costar dans les vert Nil soit luisant au col et aux coudes et sa cravate légèrement en tire-bouchon. La quarantaine empâtée, le sourire graisseux, l'œil enfoui au fond de bouffissures hépatiques ; cela dit, plutôt sympa. On devine qu'il aime la table et la baise. Mon exploit amoureux avec l'infirmière l'a transporté d'admiration : je prévois qu'on en parlera longtemps entre Rhône et Saône.

— Et vous l'avez trouvé comment, mon Gros Lard ?

— Pas frais. Mais votre sorcière noire a déclaré qu'elle allait le mettre sur pied en deux coups de cuiller à saindoux ! Elle psalmodiait des incantations, tout de suite en état second, et s'est mise à l'oindre d'une saloperie qui puait la merde.

— Bravo !

— Vous y croyez, vous, à la magie nègre ?

— Non, mais j'en apprécie les résultats.

Il rigole.

— C'est elle qui vous permet d'enfiler une souris avant d'être sorti des vapes ?

— Non, ça c'est un don de famille.

— Je regrette de ne pas être votre cousin germain, commissaire, soupire mon chosefrère.

— Vous claudiquez de la membrane, Hapique ? indiscré-je.

— Pas précisément, commissaire, mais je suis loin de faire griller les fusibles de ces dames comme je vous ai vu le faire à l'infirmière ! Dedieu, quelle troussée géante !

J'en remets un peu, c'est la réaction de tous les gens flattés :

— Broutille, c'est elle qui s'est appuyé tout le boulot !

— On aurait dit une toupie à musique.

Nous voici dans le hall du pavillon de Grange-Blanche où l'on m'a réparé.

— Où allez-vous ? me demande Hapique.

— Et vous ? contre-questionné-je.

— Examiner votre bagnole qu'on vient de retrouver sur un parking de l'autoroute Lyon-Chambéry.

— Que ne le disiez-vous plus tôt !

— Vous étiez occupé, commissaire, narguise mon mentor (lequel est cuit à point puisqu'un mentor n'est jamais cru) (1).

Il possède une Citroën CX commerciale noire qui ressemble à un corbillard (si elle était blanche, elle ressemblerait à une ambulance). Je m'installe de mon mieux à la place du mort. C'est moelleux et ça convient parfaitement à un quidam frais émoulu d'un bloc opératoire.

— C'est la gendarmerie nationale qui a repéré votre bolide, commente Hapique (l'homme qui tombe toujours). On m'a prévenu juste avant que je ne vienne à l'hôpital et j'ai ordonné qu'on la laisse sur place pour me permettre d'effectuer les premières constatations.

Une moche nausée me tracasse les intérieurs.

— Ça ne vous ennuie pas si je dégueule chemin faisant ? murmuré-je en abaissant la glace de mon côté.

Voilà, y a deux motards. Un assez gros et un assez grand, assis en amazone sur un banc du parkinge derrière leurs engins sur béquilles. Leurs gants blancs (dont ils se sont déchaussés) sont posés sur leurs guidons et leurs casques sur les selles, pareils à des potirons blancs. Il fait beau, des zizes gazouillent alentour sans se soucier de la pollution autoroutière.

Les gendarmes nationaux se dressent à notre

(1) On voit que San-A. sort de l'hosto.

Un lecteur anonyme.

arrivée, reconnaissant d'instinct la poulaille en nous. Salut rapide autant que militaire. Poignées de main. Hapique leur dit qu'il est l'officier de police Hapique et que je suis le commissaire San-Tantonio. Les motards se déclarent « enchantés », ce qui ne m'empêche pas de leur gerber en éventail sur les bottes.

— Le commissaire vient de subir une opération, m'excuse Hapique.

Ils répondent rien et vont se torchonner les tartines dans une touffe de groseillers sauvages.

Je m'approche de ma tire. La porte avant gauche n'est pas complètement fermée et le petit signal d'alerte indiquant le non-verrouillage des lourdes palpite comme un perdu.

Ma doué! Ce dégât. Du raisin partout! Une flaque d'un demi-litron dans le creux du siège gainé de cuir. D'épaisses traînées contre le dossier et l'intérieur de la lourde. Du sang sur le volant poisseux. Du sang sur la moquette. Des éclaboussures de sang après les vitres! Comment un homme exsangue a-t-il pu conduire ce barlu qui n'est pas une bicyclette à driver?

Je constate une trace rouge sur le goudron du parking. Elle part du siège conducteur de la Maserati et se poursuit, presque sans intermittence sur trois ou quatre mètres. Là, une flaque. Puis plus rien.

— Il a abandonné ma bagnole pour braquer un automobiliste qui s'était arrêté pour pisser, fais-je. C'est écrit en rouge sur le sol.

L'un des motards : le gros, s'exclame :

— Parce que c'est votre voiture, là, commissaire?

— Oui, brigadier, vous voulez voir la carte grise?

Il hausse les épaules.

— Dites donc, vous êtes bien payés à Paris.

Je lui souris ineffable.

— Fortune personnelle, mon cher. Mon papa

était dans les aciéries et ma mère est une fille Kennedy.

Epuisé, chavirant, le regard brouillé comme des œufs aux truffes, je vais m'affaler sur le banc qu'occupaient nos pandores.

— J'ai une topette de marc de Bourgogne dans mes fontes, propose le brigadier, bon mec.

— Envoyez ! je souscris un abonnement.

Hapique au turbin, il se met à ressembler à M. la Souris. Tu le verrais agenouillé à terre pour examiner le plancher de ma guinde ! Un poème ! Il ne laisse rien de côté. Le tout vrai besogneux formé à l'école de Sherlock Holmes. Au bout d'un moment, il passe à l'examen des sièges et alors c'est son gros cul d'empereur romain de la décadence qui nous regarde.

Je me suis entiflé une rasade de charretier dans le corgnif et voilà que je surmonte ma défaillance.

Je tends sa flasque au motard.

Il la refuse d'un geste.

— Gardez-la, commissaire ! Vous en aurez encore besoin, tel que je vous vois.

— Votre trousse de secours va être vide, objecté-je.

Il hausse ses épaules de matelassier.

— J'en ai une autre.

— Vous aviez enregistré l'avis de recherche de ma voiture ?

— Figurez-vous que non. Nous sommes passés une première fois par ici, ce matin, et l'auto se trouvait là. Une bagnole de cette classe, ça se remarque. Nous avons ensuite fait notre circuit de contrôle. Dans l'après-midi, nous sommes repassés. Du coup j'ai pigé que c'était anormal. J'ai mis pied à terre et vu tout ce sang…

Une grimace convulse mon physique de séducteur

de bonniches ; ce n'est pas la douleur qui le motive, mais la déconvenue.

Il s'est pris une fumante avance, le soi-disant de Sotto. Au moins huit plombes !

Je pose mon bras sur le dossier du banc, puis ma tronche lourde sur mon bras. Dans l'obscurité de ma manche, je tente de voir clair. L'escarmouche de la nuit déloge le tueur de sa planque. Il saute dans ma bagnole pour s'enfuir. Logiquement, il devrait prendre la direction de Paris, son unique souci, selon toute évidence, étant de regagner l'Amérique. Seulement, non : il se lance sur cette autoroute des Alpes. Pour aller où ? Retourner en Savoie dans la baraque de Tonton ? Ou pour gagner la Suisse proche afin d'y prendre un avion ?

De deux choses l'une : ou bien la grosse Adélaïde et son Moktar lui ont donné ce qu'il cherchait, et alors il a décidé de filer par la Suisse. Ou bien ils lui ont fourni seulement des indications pour lui permettre de récupérer « la chose » et il est allé la chercher à Saint-Joice-en-Valdingue.

Suisse ou Savoie ? Les deux sont voisines.

On aura bientôt la réponse à cette question. Grâce à l'automobiliste qu'il a contraint de le charger à son bord. S'il le tue avant de s'en séparer, on retrouvera son corps et sa bagnole. S'il lui fait grâce, le gars ira à la police. A moins que de Sotto ne le séquestre, évidemment. Mais son état d'homme traqué et grièvement blessé ne lui permet guère un tel luxe.

Hapique claque ma portière et me rejoint sur le banc.

— Rien trouvé, dit-il. Reste les empreintes. Je vais faire emmener votre voiture à notre garage pour que les experts puissent travailler dessus.

— Pendant qu'ils y seront, dites-leur de nettoyer le sang de ce salaud !

— Je n'y manquerai pas.

Il va à sa tire équipée du bigophone et virgule des instructions, puis revient s'asseoir à mon côté. Des Hollandais à la con stoppent. Une cargaison de blondinets aux yeux de lapin russe. Ce petit monde se rue vers les chiches sous la houlette de maman dodue, vachasse en plein : bourrelets, viande blanche, regard de bovidé triste.

Ces Bataves de merde ne s'occupent pas de nous. Tout juste qu'ils considèrent les deux motards avec curiosité.

Je m'enfile une rasade.

— Vous en voulez, Hapique ?

— Je ne bois pas d'alcool, commissaire, seulement du vin.

Un temps. Il murmure, indécis :

— Qu'est-ce qu'on fait ?

— Pour l'instant je réfléchis.

— Ah ! bon, fait-il, dérouté.

Il ne peut pas comprendre la gravité du moment, pas comprendre que mon sub est en pleine gestation et qu'il va, d'un instant à l'autre, accoucher d'une idée bathouze. Seulement, il ne faut pas bousculer Bébert. Le laisser accomplir sa lente dérive. Ça mûrit. Curieux bricolage mental. Je sens que c'est imminent. Comme on cherche un nom qui vous échappe et qui, tout à coup, déboule de votre pensarde au moment où l'on avait cessé de se triturer les méninges...

— Dites donc, Hapique...

— Commissaire ?

— Drôle de tueur, non ? Criblé de balles, deux litres de sang perdu, il continue son rodéo !

— Trompe-la-Mort.

— C'est une version démoniaque de *Superman,* hein ? Vous voulez bien alerter la police genevoise, et demander à nos braves zhomologues qu'ils surveillent l'aéroport de Cointrin et qu'ils enquêtent auprès des différents guichets pour voir si un gonzier répondant au signalement de notre tordu a pris un zinc, de préférence pour l'Amérique du Nord ?

Et voilà l'Hapique qui retourne à sa tire pour exécuter mes ordres. Jamais vécu un moment pareil. Moi, assis près des chiottes d'un parkinge d'autoroute, essayant de capter un rayon de soleil avec ma gueule refaite et filant des directives à un confrère tandis que deux motards se branlent les couennes à proximité, sans oser parler à voix haute. Je suis vaseux, avachi. J'ai la nausée latente. Mal dans tout le tronc ; juste mes branches sont épargnées.

Le mahomed est tiédasse. Je déteste le tiède. Le chaud, le froid, banco ! Mais le tiède, c'est ta queue qui pend et ta volonté en cale sèche.

— C'est fait, commissaire. Notez que le principal Monin avait lancé un avis de recherche ce matin, y compris sur Genève. Ils ont des gens sur place depuis six heures et ça n'a rien donné.

Les Hollandais repartent après que le dabe a recompté sa portée, pas oublier un lascar aux cagoinsses. Des mouches sont en train de se taper le sang de de Sotto. C'est jour de boudin pour ces dames.

— Hapique...

— Commissaire ?

— De Charbonnières à ici, il faut combien de temps, de nuit, avec ma tire ?

— Oh ! une demi-heure.

— Donc, une demi-heure après notre bataille rangée de la villa Vagiturne, ses blessures continuaient à pisser.

— Et pas qu'un peu.

— Si ce mec ne s'est pas fait soigner très vite, il devrait être crevé à l'heure actuelle ?

— Ou tout comme.

— Soyez gentil, appelez le commissaire Bavochard, de Chambéry, et dites-lui d'aller faire un tour à Saint-Joice-en-Valdingue, d'urgence... Des fois qu'il apercevrait notre Raspoutine...

Le pas de Hapique... Sa portière... Deux tires viennent se ranger sur le parking : une Renault 25, de l'Oise, une vieille Mercedes déglinguée couleur verts pâturages... Une gamine d'un roux anormal s'échappe de cette dernière. Son père lui crie par la portière, avec un fort accent transalpin (de jument, puisque je dis toujours transalpine de cheval !) :

— Tita ! Né mé pas les pieds dans la merdé, comme la dernière fois. Qué la voiture elle a poué pendant houite jours !

Je souris. Et puis je ne souris plus.

Elle est arrivée, l'idée tant attendue ! Un déclic ! Et des claques, pour ne l'avoir pas enregistré plus tôt. Peut-être que si cette hyper-rouquine de Tita n'avait pas marché dans la merde, un jour, il ne se serait jamais produit.

Une dépanneuse se pointe pour s'atteler à ma Maserati. Hapique fait le nécessaire avec les deux convoyeurs et je regarde disparaître ma belle caisse blanche, tout humiliée de marcher sur ses pattes de derrière.

— Hapique, avez-vous du temps à me consacrer ?

— Naturellement, commissaire, tout le temps que vous voudrez.

— Alors emmenez-moi à Zurich et je vous achèterai une raclette en cours de route.

Ronsard me célébrait
du temps que j'étais belle.

(Ronsard)

— Tu sais, amour divin, que je suis revenu de France spécialement pour te voir ?

Elle rosit. Et pourtant elle vient de connaître des suavités imbanales, des délices inusitées et certaines extravagances de la chair qui feraient se désabonner tous les instituteurs à la retraite du *Matin* si je refeuilletonnais dans ses colonnes.

En pas une plombe, je lui ai fait, dans ma chambre d'hôtel : « Le bossu fantôme », « Le sadique du bois de Boulogne », « Le branché de la haute tension » et « Le Don du Cosaque ». Toutes figures d'exception que je pratique uniquement dans les périodes d'intense frénésie glandulaire ou lorsque je tiens à faire décoller totalement une gonzesse.

Graziella, la jolie petite tessinoise, pantelle sur mon lit du *Kratzemela Hôtel* où je suis redescendu en compagnie de l'inspecteur Hapique.

Vannée, la môme. Heureusement que c'est son jour de congé, sinon je vois mal comment elle pourrait assurer son service après ce carambolage monstre.

Gavée d'amour, elle est à disposition pour la jactance. Je lui mordille encore un chouillet les bouts de loloches, manière de lui exprimer la perdurance de mes sentiments après la baise, ce qui est — tu le sais, mignonne — rarissime car, une fois leurs couilles essorées, la plupart des matous sautent dans leur bénouze d'abord et dans leur bagnole ensuite pour « *bye-bye,* à la prochaine ». Quand ils ont les burnes vidées, ils sont désentimentalisés, les bougres. Ne pensent plus qu'à fuir le cul de leurs exploits, pour, ailleurs, se refaire une conscience et du foutre.

— Nous allons prendre un cocktail pour nous remettre un peu de nos émotions, ma Radieuse.

Elle m'assure qu'elle ne boit jamais d'alcool. Je lui réponds que, « t'en fais pas : c'est doux et pas plus fort que le discours d'un général en retraite à un mariage ». Pour accréditer, je force sur le jus d'orange, ce qui atténue la véhémence de la vodka.

Elle en écluse deux, qu'ensuite de quoi, son regard ne manque plus que de quelques lamelles de truffe pour ressembler à des yeux brouillés. La voilà parée pour la jacte, cette exquise. Je branche la converse sur le sujet qui me préoccupe et elle dévide son moulinet sans opposer la moindre résistance. Un beurre !

Ce qu'il y a de plus tartant, dans notre pauvre job (pauvre comme Job) et de frustrant, bien souvent, c'est de planquer. T'es là, comme un grand con, à essayer de te rendre invisible, guettant une maison dans l'espoir que quelqu'un de précis va y entrer (ou en sortir). Les heures sont lentes, froides souvent. Elles t'apportent la faim, l'envie de pisser, des fourmis dans les jambes, des papillons noirs dans la pensarde. Tu t'obstines, tu t'exhortes, mais le découragement se met à croître lentement, inexorablement.

En général, il existe des spécialistes pour ça, chez

nous. Généralement des vieux matuches résignés qui chopent, à trop planquer, des varices et des brûlures d'estom, de la couperose aussi. Chienne de profession !

Et nous sommes là, Hapique et mézigoche, dans Krakzibumstrasse, une voie discrète où il n'est pas trop duraille de parquer, nos regards fixés sur la rue et en particulier sur le numéro 84.

— Vous êtes sûr qu'il viendra ? demande l'inspecteur lyonnais.

— La soubrette m'assure qu'il ne rate pas un seul vendredi.

— Qu'est-ce qu'il fout dans ce studio ?

— Il y joue.

— A quoi ?

— Au poker. Il a toujours le même partenaire : un Libanais riche à crever, retiré à Zurich. Ils intéressent la partie, mettant de fortes sommes en jeu. Quand il lui arrive de perdre (car il gagne la plupart du temps) et qu'il n'est pas solvable, il offre Graziella à son gagnant afin de solder sa mise, si je puis m'exprimer de la sorte.

— C'est du proxénétisme ! effarouche mon collègue.

— Pur fruit, acquiescé-je. *Achtung : ecce homo !*

Fectivement, le comte Bellazzezzeta se pointe, à pincebroque, bioutifoul en plein dans son complet bleu écrasé et sa pelisse à col d'estragon. Il s'offre le luxe d'une canne à pommeau d'or (chérie, je t'aime, chérie je t'adore) dont il use avec grâce, à croire qu'il s'agit d'un élément naturel.

Il engouffre le numéro 84, lequel oblitère un immeuble cossu comme le chef d'Edgard.

— Quelles sont vos intentions, commissaire ? me questionne Hapique.

— Attendre l'arrivée du Libanais, l'intercepter en lui affirmant que le rendez-vous d'aujourd'hui est annulé, et monter retrouver le comte en ses lieu et place pour une explication de force 7 sur l'échelle de Richter.

— Comment reconnaîtrez-vous le partenaire du comte ?

— La mignonne Graziella m'en a fourni une description détaillée ; n'oubliez pas qu'elle le rencontre parfois, et d'on ne peut plus près !

Alors, tu vois : on continue de poireauter en écoutant les cassettes de l'inspecteur Hapique, toutes consacrées aux grands airs d'opéra.

Un quart d'heure s'écoule encore. Cette pauvre dame Buterfly est pile en train de nous raconter son bateau à vapeur que je dégage sec de la tire.

Un taxi s'est arrêté devant le 84 et le Libanais souhaité en descend. C'est un aimable vieillard au teint jaune, aux cheveux blancs, avec une épaule nettement plus haute que l'autre malgré les astuces de son tailleur. Il porte des lunettes à monture d'écaille et fume un cigare que mon cher Davidoff a dû lui vendre le prix d'un repas à la *Tour d'Argent*.

Avant qu'il n'ait ciglé son sapin, j'interviens :

— Excusez-moi si je vous demande pardon, monsieur, c'est bien vous qui avez rendez-vous avec Bellazzezzeta ?

Il sourcille. Tiens, il est bigleux, en sus.

— En effet. Pourquoi ?

— Bellazzezzeta a eu un contretemps à la dernière seconde et m'a prié de l'excuser auprès de vous, il vous rencontrera vendredi prochain.

— Fort bien, répond le vieillard élégamment bossu en remettant son strabisme dans le taxi.

Pas plus duraille que la fameuse bataille du même nom (1).

(1) Ce diable de San-Antonio veut sûrement parler de la Bataille du Rail.

(Michel Droit)

Quand le véhicule a disparu, je fais signe à Hapique de me rejoindre, ce dont il et nous partons à l'assaut du comte.

Parvenu à cette cruciale période d'un récit exemplaire, tu te demandes sans doute pourquoi je m'intéresse soudain à Bellazzezzeta dont j'ai, naguère, croisé la vie avec un certain plaisir, n'est-il pas ? A cette question logique, je te répondrai par l'illogisme : l'instinct. De Sotto, grièvement blessé, se traîne jusqu'en Suisse, et ce n'est pas pour y prendre l'avion. Alors ? Alors c'est pour y rencontrer *quelqu'un,* mon jeune ami. Quelqu'un dont l'identité lui a été fournie par le couple Moktar-Adélaïde, fatalement, sinon il serait allé voir ce quelqu'un directement en débarquant en Europe, au lieu de fouinasser en Savoie et à Grenoble. Or, si tu y réfléchis un tantisoit, qui donc a connu tous les protagonistes de cette mystérieuse affaire ? Ne cherche pas : Bellazzezzeta ! C'est lui qui fut à l'intersection des rencontres Adélaïde-Silvertown. Lui qui a appris, le premier, le vol de la statuette gothique ! Personnage pittoresque et disert, il m'a balancé de la poudre aux yeux. Et cette poudre était si légère que je n'ai rien senti au premier abord. Ce n'est qu'ensuite que ça s'est mis à me picoter.

— C'est ici ! fais-je en désignant une porte ne comportant aucun nom ; Graziella m'a précisé au quatrième à gauche.

Tranquille comme Baptiste, je sonne. Le vioque doit être aux chiches car il ne répond pas.

Je patiente un chouillet et je recarillonne avec davantage de véhémence en me récitant ce fameux dizain de Clément Marot : « Napoléon III, perdant ses dents, cédant Sedan ». Mais le silence seul retentit, comme l'écrivait Beethoven.

— Vous ne trouvez pas cela bizarre ou, à tout le moins étrange, voire surprenant? propose Hapique.

Je baisse le ton, ce qui est préférable à baiser le thon.

— Peut-être que le Libanais doit sonner sur un rythme convenu ?

— Alors quoi ? On enfonce ou on bivouaque ?

— Ni l'un ni l'autre.

J'extrais mon sésame de ma vague (l'ai brisé naguère dans une serrure rétive, mais l'ai fait rebâtir en piridium surcompressé par les Aciéries de Longwy et mœurs) et me mets à trifouiller la serrure. La plupart de ces demoiselles font des manières pour commencer. Protestent qu'elles ne sont pas celles qu'on pense, et ceci cela, patati patata, mais finissent par céder à mon insistance. Car tout homme obtient ce qu'il veut des serrures et des femmes pour peu qu'il le veuille vraiment. Et c'est très bien ainsi, bravo !

Le temps pour un ordinateur perfectionné de compter jusqu'à cent seize milliards huit cent quatre-vingt-quinze millions six cent trois mille neuf cent trente-deux et la porte se rend.

Que je te cause avant toute *thing* (1) du décor. Magine-toi une sorte d'entrée avec cuisinette à gauche, salle d'eau à droite. Mais y a pas de lourde pour l'isoler du studio. Celui-ci me semble d'emblée assez vaste (disons huit mètres sur cinq et ne me fais plus chier). Un lit bas à droite, une table et des chaises au centre, un canapé à gauche face à une cheminée.

Tu t'es mis le topo dans le cigare ? Jockey ! Cela dit je t'en viens aux occupants, car ils sont plus nombreux que je ne l'escomptais. Je m'attendais à

(1) En français dans le traduction anglaise.

un comte vétuste, et me trouve face à cinq personnes.

Sur le grand lit bas, les bras et les jambes entravés, se trouvent un couple et un enfant aux mines défaites. Sur la table, il y a le comte dont chacun des membres est attaché à un pied du meuble et dont le ventre est ouvert comme un traversin après une perquisition de la Gestapo ; le cinquième quidam n'est autre que le dénommé de Sotto.

Ce que je te narre succinctement, mon pote, je l'enregistre en bloc, comme t'enregistres un seau d'eau qu'on te balance à travers la gueule. Ça me fait tchlaofff ! dans l'entendement. Et mon plus pressé c'est de me jeter à plat ventre, nonobstant ma cicatrice à la poitrine.

Bien m'en prend, mais c'est au grand dommage de mon brave compagnon, lequel dérouille un couteau en pleine gorge, de la part de l'émérite lanceur.

Dans ces cas-là, tu ne te donnes pas le loisir de réfléchir au pourquoi du comment du qu'est-ce ? Si t'es un véritable Nantonio, t'agis en fulgurance. Pas le temps de dégainer mon camarade Tu-Tues dans cette sotte posture où je me trouve. J'oublie mes plaies, bosses et souffrances pour rouler jusqu'à de Sotto, lequel se tient accagnardé contre le dossier du canapé. Pas frais, le frère ! Mais venimeux pis que jamais, ça oui ! Il est émacié, les traits creusés, les yeux enfoncés au fin fond de leurs trous, la figure d'une sale couleur bronze. L'affreux porte sur lui le masque de la souffrance et de la haine. Il est pansé de partout.

Notre coup de sonnette l'a mis sur ses gardes et il s'est vite muni d'un de ses chers couteaux. Il devait espérer que, ne recevant pas de réponse, le visiteur se retirerait, mais quand il m'a entendu tutoyer la serrure, il s'est préparé au pire. Et c'est mon pote l'inspecteur qui a morflé. Il est tombé, Hapique (1) ! Tombé à jamais. Tombé au champ d'horreur. Un flic de plus effacé des registres !

Mais moi, dans tout cela, hmmm ? Moi, le fils unique et préféré de Félicie, hmmm ?

La toupie, j'exécute. Vitesse grand V. Il est pris au tu sais quoi ? Oui, dépourvu ! Tu gagnes un kilo de sucre. C'est tant si tellement fulgurant, mon numéro, qu'il peut me croire blessé ou je ne sais quoi.

Une fois à ses pieds, je me redresse, d'un rétablissement qui flanquerait la colique verte au supermoniteur des pompiers de Paris. Un coup de boule dans sa frite décavée. Il bascule par-dessus le dossier du canapé et choit à la renverse, mais, malgré son piteux état, il a le réflexe d'une formidable ruade que je déguste en plein dans les frères Goncourt. C'est Edmond le plus touché. J'en dégueule sur la moquette.

Le tueur profite pour rétablir son équilibre. Il grimpe sur le canapé et bondit jusqu'à la table. Un couteau est planté dans le bas-ventre du comte d'Orgel. Il l'en arrache et le lève. Son regard est fou, tout là-bas, dans ses orbites. Il ne tient que par son énergie, de Sotto. Ah ! le gaillard qu'y a là ! Avec lenteur il lève son bras valide pour me planter, comme il en poinçonné tant d'autres. J'ai la force de porter la main à mon soufflant. Seulement, il va lancer sa lame avant que je n'ai dégainé mon arquebuse. Tout va se jouer en un éclair, une poussière de seconde. Malgré sa faiblesse, il est trop finaud et rompu à ce genre d'exercice pour rater son coup. J'ai toujours ma pattoune sur la crosse de mon feu. Ma main frémit, la sienne aussi.

Et alors une détonation retentit. Un baoum ! du

(1) Ouf ! Je peux enfin le placer en situation !

feu du diable. De Sotto a une terrible secousse et part en avant. Ce faisant, il dégage mon champ de vision ce qui me permet d'apercevoir le bon Hapique, noyé de sang, le regard glauque, avec son flingue à la main. Il a tiré, le poignet posé sur le plancher, de bas en haut, et le tueur a dérouillé la balle dans le cul. Du beau calibre bien joufflu. La valda lui a fait éclater le coq six (au singulier, s'écrit coccyx) et a remonté la colonne vertébrale qui se trouve nazée à outrance. Le voilà paralysé complet. Raide comme barre, privé de tout, y compris de la parole ; avec juste des lambeaux de vie accrochés à ce qui subsiste de sa personne.

Pour lui, c'est râpé. Question de minutes. Que dis-je : de secondes ! Il a enfin son compte.

Je l'enjambe pour me pencher sur Hapique. Ça gargouille mochement sous sa pomme d'Adam. Des géraniums (ou gérania) pourpres foisonnent autour de la blessure. On voit, à travers ce bouquet, jaillir un filet de sang dru comme le lait tiré d'un pis de vache.

— Ne bougez pas, petit, lui chuchoté-je. J'appelle une ambulance. Il a raté la carotide, heureusement, on va vous réparer ça...

Mais il doit bien entendre que je mens, le pauvre sublime ! Même quand tu rôdes autour du coma, tu perçois les berlurades des potes. Ses yeux de brave fonctionnaire ont une vague expression d'incrédulité quasi moqueuse avant de s'assombrir sur le grand mystère. Ils deviennent salement inexpressifs : deux mouches mortes dans de la Chantilly ! Salut, inspecteur ! Et merci !

Si tu as du sable dans l'œil,
que tu ne puisses retirer,
attends qu'il y prenne sa place
et alors l'horizon redeviendra net pour toi.

(Proverbe Saharien)

Les trois personnes ligotées sur le lit sont des Belges. Mais cela, tu l'as su plus tôt, dans une de ces parties du livre qui échappent à mon contrôle, le con de romancier ayant établi à mon insu ce fait du prince.

Trois Belges, donc : papa, maman et petit garçon. Dodus, les trois, le teint rose, l'œil clair et aimable, pourvus d'un accent qui fait marrer sans qu'ils eussent à raconter d'histoires.

La dame a une crise de nerfs, comme chaque fois qu'elle voit trucider trois personnes sous ses yeux. Le monsieur, hébété, mais courageux (son père a fait la Quatorze et son surarrière-grand-père Waterloo) pousse des exclamations comme une machine à emboutir crache de la pièce détachée. Il dit : « Ça n'est pas vrai ! Mais ça n'est pas vrai ! Oh ! non, ça n'est pas vrai du tout ! » Ensuite, il change la date et dit : « Ça n'est pas possible ! Mais ça n'est pas possible ! Oh ! non, ça n'est pas possible du tout ! »

Et cependant, c'est vrai, possible, exact, perpétré, présent, indéniable. Il y a bel et bien deux morts dans le studio ! Non, trois, car de Sotto vient de passer l'arme à gauche, enfin ! A l'instant, juste pendant que je te causais ! Pff... son dernier soupir, le monstre ! Et moi, me voilà bien, avec un mystère qui demeure entier comme un étalon de concours, que quoi, merde ! j'ai pas noirci tout ce faf pour déboucher dans un cul-de-sac à provisions, non ? Je vais pas me rentrer *at home* (de Savoie) avec les morts et les blessés de l'aventure en ignorant la genèse et la parthénogenèse de l'affaire Tonton, bordel !

Mais qui va parler, à présent qu'Adélaïde et son mecton sont scrafés ? Que le vieux comte Bellazzezzeta l'est également, ainsi que le tueur aux coups de couteau étranges, venu d'ailleurs ? Auprès de qui vais-je la mendier, cette sacrée vérité ?

En attendant je demande aux Belgiums les raisons de leur présence ici. Les parents se trouvant par trop commotionnés, c'est le môme Léopold qui me répond. Un loupiot de huit berges : taches de rousseur autour de son nez retroussé, dents du bonheur, mèches rebelles. Sympa.

Il me raconte que de Sotto est monté de force dans leur tire pendant un pipi de maman, au parkinge. Sous la menace, il les a contraints de l'amener à Zurich.

Une fois en Suisse, il s'est fait soigner par le couple, gardant le gamin et la mère en otages pendant que le gros allait acheter des remèdes et des provisions. Justement, elle était sage-femme, la mère Tartemolle de Bruxelles. Elle savait des choses, au plan médical, et elle a soigné le vilain avec beaucoup d'efficacité, sauf qu'il avait une praline dans la viande impossible à extraire. Elle n'a pu que désinfecter à outrance. Le mec tenait à force de vitamines et de bourbon. Une fois à Zurich, ils sont venus tout droit ici. De Sotto n'avait pas la clé, mais il n'a pas eu de mal à crocheter la serrure. Donc il connaissait l'adresse de ce studio. De qui la tenait-il (1) ?

Il les a attachés sur le pucier, tous les trois, et il s'est couché devant la porte, enroulé dans une couverture. Il délirait, poussait des plaintes, des cris. Les Belges croyaient qu'il allait mourir, mais au matin, il était à nouveau d'attaque, l'invincible !

L'invincible ? Voire ! Il gît sur le parquet poussiéreux ; percé de part en part, les chairs déchirées, le corps en lambeaux. Sa dette est-elle payée ? La mort nous purifie-t-elle vraiment ?

Je tente de causer avec les parents, mais ils ont été trop traumatisés et continuent leurs délirades. Ils ont beau se savoir sauvés, leur trouille continue de courir sur son aire, tu comprends ? « Ça n'est pas pensable ! dit le papa, mais ça n'est pas pensable ! Oh ! non, ça n'est pas pensable du tout ! »

La mémé, elle, hoquète sauvage. La voilà qui s'est levée et qui flanque des coups de pied dans le cadavre de de Sotto, invectivant le vilain qui voulait tuer son fils et qui l'a forcée de se faire des choses devant son époux et son gamin ! Jamais elle pourra oublier ! Elle voudrait le brûler. « Dites vouère, môssieur, une fois, il est-il possible de foutre le feu à cette charogne ? » Et elle demande à son vieux s'il a des allumettes.

Bon, grand temps de soigner ces pauvres gens. Je tubophone à la police.

— Moi je ne veux pas aller à l'hôpital ! déclare tout net le petit Léopold.

— Ça te dirait que je te paie un chocolat et des gâteaux ?

— Oui, monsieur, je préfère !

Les gosses, ça ne regarde pas la vie de la même

(1) Aparté de l'auteur fécond (fait con).

manière que les adultes. Ils la prennent comme une aventure, un peu. Ainsi, lui, il vient de vivre un film. Le danger, il n'y a pas cru ; c'était « pour de rire ». Et même au final, quand de Sotto a charcuté le comte et puis qu'il a égorgé l'inspecteur et s'est laissé enfin dessouder par lui, même au sein de cette sanglante tragédie, il continuait de percevoir cette hécatombe comme un épisode violent de feuilleton télé.

La pâtisserie-salon de thé Branlmann nous accueille, superbe dans ses marbres blonds et ses banquettes recouvertes de velours saumon. Les serveuses y sont choucardes, fringuées Musset, avec des rires avenants et des culs plus avenants encore.

Léo se sélectionne une montagne pas dégueu de friandises où dominent l'éclair chocolat et la tartelette aux fraises des bois. Son Ovomaltine onctueuse lui fait déjà une moustache de grand-père.

— T'es un vrai petit julot, Léopold, je lui assure. T'as peur de rien, hein ?

— Si, dit-il, la bouche pleine, j'avais peur de mon père, mais maintenant que je l'ai vu chier dans son froc, il me fait marrer !

Il ajoute après un rot de bon ton, mal étouffé par le dos de sa main :

— Dis donc, tu t'es pointé pile, toi !

— Je pense, oui, mais pourquoi dis-tu ça ?

— Parce que comme le vieux lui avait dit tout ce qu'il voulait savoir, il allait plus avoir besoin de nous, tu comprends ? Et alors, tu parles qu'il nous aurait tués !

Pas mal déduit pour un morveux, non ? Heureusement que l'avenir appartient à la jeunesse. Elle est tellement moins conne que nous !

— Qu'est-ce que tu entends par : « le vieux lui avait dit tout ce qu'il voulait savoir » ?

— Il lui a posé des chiées de questions, quoi.

— Tu saurais me répéter lesquelles et les réponses que le vieux lui a faites ?

— Ben, évidemment, tu me prends pour un Belge ! Mais soye gentil : laisse-moi d'abord finir mon goûter : mon vieux m'interdit de parler la bouche pleine, ce con de pétochard !

Au lieu des U.S.A., je communiquerais avec le 22 à Asnières, la liaison ne serait pas plus claire. Tu jurerais qu'il est perché sur mon épaule, le fameux Ron Silvertown, et qu'on se jaspine dans le tuyau des feuilles, les deux.

Pour l'obtenir, crois-moi (mais si tu ne veux pas me croire, t'es libre, j'en ferai pas une coqueluche), ça n'a pas été fastoche. Y a fallu passer par haut lieu. Ni plus ni moins que le grand dirluche, dans un premier temps avant-coureur, pour prévenir que j'allais appeler depuis Zurich. Ça chiait des ronds carrés, je t'avertis. Les « injoignables », moi, je m'en sers comme cuvette de gogues. Alors, à présent que je le tiens, l'Immense, le Sur-puissant, le Parrain des Parrains, je prends mes aises. La voix glacée et pourtant marquée de petits relents latins, peu compatibles avec le blaze typiquement anglo-saxon, me demande ce que je désire.

— Vous annoncer deux nouvelles, monsieur Silvertown : une mauvaise et une bonne.

— L'on m'informe que vous êtes un officier de police, interrompt mon terlocuchose sans s'émouvoir.

— Exact, mais mon Service est spécial, très très spécial. Je dispose de pouvoirs et de libertés qui ne sont généralement pas tolérés de la part de mes confrères.

— Intéressant.

— Vous allez voir à quel point !

Un silence. Il ne me questionnera plus. Bras de fer

silencieux. A qui cédera, à qui prendra l'initiative de la converse. Comme les courses de poursuite dans les vélodromes : c'est celui qui démarre en premier qui a la plus mauvaise position. Alors on s'observe.

On perçoit le petit signal sonore ponctuant les unités téléphoniques. Comme c'est mégnace l'appeleur, je suis en train de me taxer à mort. Bon, je vais quand même pas attendre la Saint-Ducon, qui tombe le jour de ta fête pour enchaîner.

— Bien, je ne voudrais pas vous faire perdre votre temps qu'on me dit sans prix, monsieur Silvertown, aussi vais-je commencer par la mauvaise nouvelle : votre envoyé, le dénommé de Sotto est mort après avoir perpétré un vrai massacre en Suisse et dans la région Rhône-Alpes, l'une des plus belles de France.

Lui, polaire :

— J'ignore de qui et de quoi vous parler.

— Peut-être parce que l'individu en question disposait d'autant d'identités qu'une vedette de cinéma dispose de toilettes. D'après mes derniers renseignements, il s'appellerait en réalité Stephen Black.

— Connais pas.

— Un blond, crépu, au regard de serpent.

— Je vous répète que je ne le connais pas. Ensuite ?

— J'arrive à la bonne nouvelle : j'ai en ma possession votre statue.

Là, malgré son silence, je sens que je viens de dégoupiller ma grenade. Car le silence est si entier que, pour l'obtenir, il a dû retiendre son souffle, comme dirait le cher Béru. Cette fois, ce sera à lui de piquer la décarrade. Moi, je crèverai d'inanition dans cette cabine, mais je ne prononcerai plus une syllabe avant lui.

Je ne morfonds pas lulure.

— Quelle statue ?

— Vous savez bien, monsieur Silvertown. Trois hommes ont péri en hélicoptère en voulant la récupérer. D'ailleurs, même si le pilote ne s'était pas foutu comme un con dans les câbles de cette ligne à haute tension, ils ne l'auraient pas trouvée. On vous avait gentiment induit en erreur, monsieur Silvertown : ce n'était pas le vieux Dugadin qui vous l'avait volée, mais l'autre, le majordome italien. Pendant son jour de congé, il s'était déguisé en grand blessé pour revenir dans la maison perpétrer son larcin. Ses propres employés ne l'avaient pas reconnu, tant il possédait l'art du grimage. Il voulait, tout en se disculpant du fait de son absence, jeter le doute sur celui qui, quelques jours auparavant, avait déjà porté le chapeau dans l'affaire du carnet rouge, par fausse fille interposée.

Re-silence intégral. Pas désagréable de tenir la dragée haute à un vilain de cette envergure.

J'attends. L'homme ne parle plus.

— Bon, soupiré-je, j'ai l'impression que mon histoire ne vous intéresse pas. En ce cas vous savez ce que je vais faire, monsieur Silvertown ? Je vais raccrocher et brûler cette statue. Sans doute est-ce dommage de sacrifier cet objet d'un gothique aussi rare, mais je sens qu'elle doit disparaître par le feu. Pardon de vous avoir importuné.

— Non ! ! ! ! ! ! !

Les cris désespérés sont les cris du pied-bot, comme l'a écrit Prévert (à moins que ce ne soit son cousin Marcel).

Cette clameur est une abdication totale. L'immense refus d'une mère dont on s'apprête à égorger l'enfant. Il y a je ne sais quoi de pathétique dans ce « non » immense comme le roulement du tonnerre en montagne.

Conduire ou choisir : il faut boire ! déclare la

Prévention routière, toujours pleine de sollicitude. Je choisis d'en finir.

— Silvertown, vous êtes une fabuleuse ordure ! Un grand seigneur du crime, mais je vous tiens ! Vous avez fait tuer mon oncle Thomas Dugadin dans des circonstances atroces. Votre deuxième tueur a grièvement blessé mes meilleurs inspecteurs. Il m'a sérieusement blessé moi-même. Il a salement tué une demi-douzaine de personnes avec des méthodes dont la barbarie flanquerait la gerbe à des tortionnaires cambodgiens. Il a semé l'horreur sur son passage, humiliant et terrorisant femmes et enfants. Seulement c'est terminé. Vous êtes en mon pouvoir. J'ai votre destin entre mes mains. Et il est inutile de me dépêcher un nouvel ange de la mort : ce n'est plus un simple quidam qui détient la statuette, mais une institution composée de milliers de flics. Préparez-vous à suivre mes directives. Je vous appellerai lorsque je le jugerai utile pour vous les donner ! Salut !

Ne regrette pas l'argent
que tu as consacré à l'achat de ce livre.
Une pute t'aurait coûté infiniment plus cher,
ton plaisir aurait été infiniment plus bref
et avec ton manque de bol coutumier
tu aurais attrapé la vérole ou le sida ;
alors agenouille-toi et crie :
« *Merci, San-Antonio* » !

Elle est adorable, Ramadé. Un peu grassouillette, avec le cul comme un compteur à gaz d'avant-guerre, mais ce qu'elle a de hautement désastreux, c'est son parfum. Côté patchouli, mon pote, t'es servi ! Renifle un grand coup et t'en auras pour ton week-end ! Moi qui suis allergique aux parfums, je trémousse des narines dans cette ambulance qui remonte mes chers amis blessés sur Pantruche.

On a affrété la toute grande tire ricaine. A gauche la civière de M. Blanc, à droite celle de Béru. Au centre deux sièges l'un derrière l'autre. Ramadé est placée devant moi. Je mate sans convoitise aucune ses miches débordantes. Pas seulement compteur à gaz ancien modèle, ça fait aussi comme un grand sac tyrolien qui lui aurait glissé du dos. Toujours est-il qu'elle te me les a sauvés de première, mes équipiers, la fille du grand sorcier gourou, avec ses remèdes perlimpinpins. Les voilà hors d'eau, les braves. En pleine cicatrisation, leur sève surchoix faisant le reste.

Ramadé, y a pas que l'odeur : elle chante, en plus ! Une mélopée très nasillarde. Elle fait comme ça, interminablement :

— Okoubé okoulala, okoubé okoulala, président

Mitterrand, flagada. Okoubé okoulala, okoubé okoulala, Jacques Chirac tagada.

D'où j'induis qu'il s'agit d'une mélopée politique.

Bérurier ouvre un œil bordé de mayonnaise et me visionne. Un peu pâlot, le frelot. Ne reste de sa trogne violine qu'une trame bleue, semblable à une toile d'araignée étalée sur sa large face.

Il me sourit.

— Je lui dois un fier cierge, à la Ramadé, murmure-t-il. On a de la chance de l'avoir. Je sais pas comment m' reconnaître... J'y offrirerais bien un sac de chez Ernest, mais l' croco, elle, ça l'épate pas : elle a été élevée av'c. J' croive bien qu'é préférera un pot d' rillettes du Mans.

— Sans aucun doute, admets-je, ça fait moins d'usage mais c'est plus digeste.

Le Gravos bat des paupières, ce qui produit l'effet de deux gyrophares jumelés.

— Mouais : des rillettes, ça fait davantage mieux classe. Un pot d'un kilo ! Ou p't'êt' même d'une livre d'en cas qu'elle aimerait pas.

Satisfait de sa résolution, il se rendort. C'est au tour de M. Blanc de prendre la relève, d'un ton menu menu :

— T'es là, flic ?

Je me penche en avant, ce qui rapproche dangereusement mon sens olfactif de dame Ramadé. Une chavirance m'empare. Je vais pas tenir longtemps sans respirer.

— Présent, le grand !

— Tu as résolu le problème ?

— Dans les grandes lignes, oui.

— Dommage que j'aie été mis hors-jeu, sinon c'est moi qui...

— Tu avais fait le plus gros, Jérémie, le conforté-je.

— L' plus gros mon cul ! grogne l'Enflure du fond

de ses limbes. Faut pas chérer ! Y en a qu' pour ce con d' mâchuré. Qu'est-ce qu'il a fait-il de si prouessant ?

— Ecoutez Sac-à-merde qui se vide ! soupire M. Blanc. Jaloux comme un morpion, ce gros niais !

Bon, ils m'ont l'air bien repartis, les deux. C'est Ramadé qui met le holà ! Elle interrompt son hymne patriotique afin de déclarer qu'elle n'a pas réparé ces deux gugus pour qu'ils se sautent dessus avant d'être guéris.

Du moment que leur « sauveuse » se fâche, ils rengracient. Mais Jérémie repart, au bout d'un moment, c'est plus fort que lui :

— Alors, c'était quoi, ce bidule ?

— La simple histoire de deux larcins qui ont pris des proportions gigantesques. Le futur magnat du crime en Amérique tenait à deux objets. Le premier était un petit carnet rouge sur lequel figuraient les noms de ses clients disposant d'un compte numéro ultra-secret dans la banque qu'il contrôlait à Zurich. Le second, le plus important pour lui, était une statuette gothique transmise de père en fils dans sa famille (d'origine sicilienne malgré son nom ricain). Cette figurine de bois détient un pouvoir maléfique, du moins en est-il convaincu. Depuis plusieurs siècles, elle servait à des expériences de magie noire.

Ma voix a dû prendre un ton sarcastique car Ramadé me rappelle à l'ordre :

— Faut pas rigoler, môssieur Antonio ! C'est sérieusement sérieux, ces choses-là. Je connais ! Tu jettes un sort, mon vieux ! Et, oh ! la la ! putain, dis : il arrive les pires combines à çui-là que tu veux démolir ! Parole, mon vieux, parole ! Si tu insistes : il meurt. La magie, c'est pas que du bon, tu sais !

— Te fatigue pas, femme Ramadé ! intervient son époux. Les Blancs, ils sont cons à crever ! Ils croient à ce que leur racontent leurs guignols d'hommes politiques, mais ces choses-là, ils haussent les épaules. Tu peux pas les refaire, Ramadé ! Et si tu pouvais, tu devrais les refaire noirs pour qu'ils soient moins cons !

Il passe sa langue plus chargée qu'un *boat people* sur ses lèvres sombres.

— Alors, flic, tu racontes ou tu racontes pas ?

— Je raconte en prenant le déroulement chronologique. Remontons à l'accident de Solex de mon tonton. Silvertown le dédommage, mais les dents lui poussent à Dugadin et il veut une rallonge. L'opération est confiée à Adélaïde Salcons. Elle mène sa petite enquête et, drivée par Moktar, décide d'éponger l'accidenteur au maxi. La voici à Zurich. Elle force la porte de Silvertown, lui expose ses revendications ; mais l'autre n'entend pas se laisser tondre et l'envoie chez Plumeau avec pertes et fracas. C'est là qu'il me faut parler d'un très étrange personnage digne de la Renaissance italienne : le comte Bellazzezzeta, vieux noblaillon décavé, joueur passionné, dont la vie consiste à dénicher quotidiennement des expédients lui permettant de flamber. Il a trouvé une voie de garage : majordome de l'hôtel particulier où la banque américaine reçoit ses hôtes de marque. Pourtant beau, discret, efficace, il gère la maison avec grâce. Mais c'est un fouille-merde de haut niveau. L'arnaqueur mondain de grand style. Omniprésent et invisible, il observe tout, fouille tout, dresse des plans, pose des collets, fomente des combinaisons florentines. Le jour où Adélaïde est chassée par Silvertown, il lui court après, lui fixe rendez-vous. Elle tombe à pic celle-là. Il a entendu la conversation de la grosse dondon et de Silvertown. Aussi, Bellazzezzeta va se servir d'elle pour griffer un sacré paquet d'osier au Sicilo-américain. Il a piqué le carnet rouge. Elle va se charger des transactions pour le lui restituer moyennant rançon. Il lui fait la leçon. Fumière sur les bords, elle se montre bonne élève, la grosse ; d'autant que son Arbi est là pour lui servir de répétiteur. C'est lui qui appellera Silvertown afin d'obtenir un second rendez-vous. Le premier réflexe de Ron est de raccrocher. Moktar revient inexorablement à la charge. Il fait allusion au carnet rouge et, du coup, les portes s'ouvrent en grand. Silvertown, terrifié par les conséquences que pourraient avoir ce vol, est à merci. Il rachète son carnet. Cent briques ! Le pactole ! Bellazzezzeta remet le tiers de la somme à sa complice d'un jour. Et la garce ne donnera même pas un fifrelin à Tonton.

— Beau boulot ! apprécie Bérurier. Ça me donne soif des histoires pareilles, tu pourrais pas demander à l'ambulancier de s'arrêter à un Restauroute.

— Buvez ça ! ordonne Ramadé en tirant de son cabas de faux cuir un flacon empli de liquide jaune.

C'est tellement péremptoire que le Gravos écluse une gorgée. Il tousse à perte de vue et proteste :

— On dirait de la pisse d'âne !

— Parce que ça en est, répond Ramadé en remettant son flacon.

— Et après ? demande Jérémie dont la vocation policière n'a pas été freinée par le coup de poignard du tueur à gages.

— Là, se situe un blanc dans mes informations, poursuis-je. Je suppose que Silvertown n'était pas homme à se laisser engourdir cent briques sans sourciller. Sans doute a-t-il mobilisé « du monde » pour retrouver la grosse Adélaïde et lui faire passer le goût du gras-double et de l'andouillette marchand de vin. Il y a probablement eu des contacts avec le vieux Dugadin, pour retrouver sa « fille », mais un second coup du sort l'a percé jusque z'au fond du cœur.

— Le vol de sa putain de statue, mon vieux, je parie ? suggère M. Blanc.

— Dix sur dix, Sherlock.

— Et c'est encore le vieux Rital qu'a opéré ? décline Béru pour ne pas être en reste, montrer que ses méninges sont sur le qui-vive.

— Vingt sur vingt ! le comblé-je. Le vieux finaud, genre guette-au-trou, je vous le répète, n'était pas rital pour rien. Il avait surpris les « rites » pratiqués par son locataire et compris l'usage qu'il faisait de sa statuette. D'aucuns, voire d'aucunes, s'étonneront qu'un chevalier d'industrie de ce calibre, un homme aussi implacable que Silvertown ait la faiblesse de pratiquer la magie noire...

— D'aucuns, mais pas nous ! rectifie Jérémie. Pas de commentaires oiseux, flic ! Tiens-t'en aux faits, je te prie, t'es trop connement cartésien pour piger.

Là, j'ébroue vilain.

— Non, mais dis donc, Fleur de Suie, le commissaire, c'est toi ou c'est moi ?

— Ce mec, y t' pissera sur la gueule avant Longchamp ! prophétise le Gros. C't' une race, sitôt qu' t'arrêtes d'y botter les noix, y s' croivent tout permis.

— Faut l'excuser, plaide Ramadé, il délire encore un peu. Je l'ai chargé en poudre de champignons à rêver.

— Oh ! merde, arrête ton blabla, Ramadé, et en voiture ! clame Jérémie. Je t'écoute, flic !

— Cause-z'y plus ! me conseille Alexandre-Benoît perfide, champignons pas champignons, je t' jure qu'y t' pissera dessus, je vois viendre.

Mais je sais me montrer magnanime et pardonner les offenses.

— Pourquoi avoir volé cette statue ? reprends-je.

— Moui, pourquoi ? demande l'Intense.

— Pas pour la monnayer auprès de Silvertown, ce

qui eût été trop risqué mais... pour la posséder, tout bêtement. Le vieux comte voulait probablement en user, lui aussi, pour tenter de transformer sa vie, du moins le supposé-je. Il y a chez ces vieux Ritals un fond de superstition qui nous échappe à nous, cousins latins. Pour opérer le vol en toute sécurité, il a eu une idée diabolique.

Je me tais pour reprendre haleine.

— Si c' s'rait un vêtement (1) d' ta bonté d' m'y dire ? implore Sa Majesté.

— Comprenant qu'en dérobant la statuette les soupçons se porteraient sur les habitants de la demeure, il a décidé d'inventer un voleur venu de l'extérieur.

— Qui ? demande M. Blanc.

— Lui-même. Pendant son jour de congé il s'est déguisé... en grand blessé, donc, visage sous bandelettes ! Comédien naturel, il a interprété avec délectation le rôle d'un visiteur en s'arrangeant de telle sorte pour que, par la suite, Silvertown envisage que le vol avait été perpétré par « son blessé cupide », c'est-à-dire Tonton. Du grand dard (2) ! Déjà échaudé par le chantage au petit carnet rouge, Ron devait se croire la proie désignée d'une drôle d'équipe d'arnaqueurs.

— En effet, il a fait venir des spécialiss et a organisé une opération chez ton onc' ! continue le Mastar d'une voix nonchalante de Sherlock produisant sa démonstration à ce vieux con de Watson. En hélico, hmm ?

— Seulement le coucou s'est pris les pattoches dans une ligne électrique à deux pas de la ferme. Les occupants ont été tués. Et alors, cet accident a

(1) Il est évident que Béru a voulu dire : « Un effet de ta bonté », étourdiment, il a usé d'un synonyme.

(2) Lapsus de Sana qui pensait à l'autre con en écrivant.

infléchi la conduite de Silvertown. Il y a vu une manifestation de cette statuette : elle neutralisait qui partait à sa reconquête, vous suivez la démarche mentale ?

— Un peu fêlé ! gouaille le Gravos.

— Ta gueule, homme au cerveau désert ! clame Jérémie.

Deux blessés qui s'engueulent dans une ambulance, c'est pas commun. Ça vous a un petit côté café-théâtre. Aussi, vite reprends-je le crachoir :

— Cet accident d'hélico a paniqué Tonton, savez-vous pourquoi ? Parce que, près des décombres de l'appareil il a trouvé des armes et un plan sur lequel figuraient son nom et la situation de sa ferme. Dès lors, il a compris qu'on en voulait à sa vie. D'autant que, par la suite Silvertown a bien dû faire contacter mon oncle d'une manière ou d'une autre pour récupérer son bien. Il n'est pas homme à s'être avoué vaincu. On ne saura jamais très bien ce qu'il en a été de cette période, on en est réduit aux hypothèses. La peur de Tonton, le renoncement de Ron sont deux mystères que nous ne pouvons qu'interpréter à travers les faits réels que nous connaissons. Quelque chose me dit qu'il a piqué des trucs sur les morts de l'hélico, Dugadin. Peut-être du fric, peut-être des bijoux, ce qui lui a donné mauvaise conscience. Toujours est-il que le temps a passé. Silvertown est devenu un très grand brigand, mais qui gardait au flanc, comme un coup de lance, la perte de la statuette magique de sa famille. Un peu comme une mère dont l'enfant a disparu et qui continue d'attendre et d'espérer.

Jérémie geint pour changer de côté. La voiture filoche impec sur l'autoroute, Ramadé a repris sa litanie du docteur Gustin : « Okoulé okoulala, okoulé okoulala président Mitterrand flagada... »

Ayant trouvé une position dont s'accommode sa terrible plaie, Jérémie demande :

— Comment se fait-il que, treize ans après...

Il ferme les yeux, épuisé par l'effort. Pas encore le super-pied, mais ça viendra.

— L'affaire ait rebondi ?

— Oui ?

— Bellazzezzeta toujours lui. Son éternel besoin de fric à ce vieux flambeur de merde ! Je crois l'avoir compris, le bougre, lorsqu'il est acculé, ferait n'importe quoi pour obtenir du combustible. C'est pis qu'un drogué. Un jour qu'il était pris à la gorge, il a essayé de vendre sa statue à Silvertown. Mais toujours prudent et fidèle à sa ligne de conduite, il lui a écrit comme s'il était l'oncle Tom, allant jusqu'à poster sa lettre à Saint-Joice-en-Valdingue. Dès lors, Silvertown a voulu prendre les devants pour ne pas se laisser mener en barlu. Il a engagé un premier tueur à gages et l'a dépêché en Savoie où le gars s'est livré à la fantasia que nous connaissons. Voilà, mes chers amis. Navré pour vous que cette enquête ait été aussi sanglante, mais soulagé pourtant que vous vous en soyez tirés !

— En somme, renouillasse Béru, c't'à cause de ton sale comte de merde si Tonton a été scrafé ! En y f'sant adosser un casse qu'il avait pas commis, l' pauv' bonhomme. Dans l' fond, il a eu c' qu'il méritait, le comte Beaupaf. C'est l'Adélaïde qui s'est affalée à son sujet, œuf corse ?

— Evidemment. Elle a balancé l'histoire du carnet rouge sous la torture. Cela a suffi pour que de Sotto comprenne que Bellazzezzeta était le nœud de l'affaire.

— La tête de nœud, mouais ! rectifie l'Infâme.

— Elle lui a même révélé l'adresse du studio du comte où ils opérèrent leurs petites manigances, elle et lui.

On roule, roule...

La nuit choit derrière les vitres trop dépolies pour

être honnêtes. Le vaste véhicule roule en souplesse. Ça fouette de plus en plus dans l'habitacle : le parfum de Ramadé, les pets hospitaliers de Béru, les senteurs de fauve puissant de M. Blanc, et, aussi, mon eau de fleur de cédrat, mais si modeste que je ne la signale que pour mémoire tant est faible sa participation à ce concert nauséabond.

— Et dans tout ce cirque, grommelle Jérémie, qu'est devenue la statuette magique ?

— Avec moi, il suffit de demander pour être servi, dis-je en la sortant de ma poche qu'elle déformait.

Trois mains se tendent. C'est par galanterie, dans celle de Ramadé que je la dépose. Le visage du personnage a été polychromé. Il est d'un jaune blafard et les minuscules yeux noirs sont cernés de rouge. Le sommet de la tête a été creusé et une odeur vénéneuse s'échappe de la cavité.

Mme Blanc renifle.

— On y a mis du rabita koukouyé, assure-t-elle, en parfaite « connaisseuse » ; c'est la plante des maudits !

Chacun examine l'objet barbare auquel, quelque part aux *States*, un homme puissant et maléfique voue un culte anormal.

J'explique :

— Elle se trouvait au studio du comte, dans une boîte de fer emplie de gousses d'ail (ou d'aulx) chargées, je pense, de la dévampiriser.

Ramadé murmure :

— Vous allez en faire quoi, mon vieux ?

— Je ne sais pas encore.

— Ça vous ennuierait de me la donner ?

— Ça m'ennuierait si je pensais qu'elle puisse vous apporter du malheur, sinon ce serait avec plaisir.

Ramadé éclate de rire.

— Elle, m'apporter du malheur, à moi, la fille de Takatla, le dernier grand sorcier du Sénégal ! Tu charries, commissaire !

Elle prend son bonhomme à témoin :

— Alors là, il charrie, hein ? Du malheur, c'est pas moi, mais le sale type d'Amérique qui va commencer à en avoir.

Elle berce la statuette sur son bras, comme elle doit le faire avec ses marmots, allant même jusqu'à caresser l'inquiétant visage.

— Explique-lui qu'il charrie, Jérémie, murmure Ramadé la Mystérieuse. Explique-lui bien !

Mais le blessé, à demi groggy par ses récents efforts de concentration se tourne de côté et murmure :

— Laisse, Ramadé ma femme, laisse. Les Blancs sont trop cons pour comprendre.

FIN

Post-roman

Lettre de Maître Aldebert Taimoudus,
Notaire à Chambéry, Savoie
à
Monsieur le Commissaire San-Antonio,
Police Judiciaire, Paris.

Monsieur le Commissaire,

Les services de Sûreté de Savoie, en la personne du Commissaire Bavochard Gaston, m'ont fait tenir un testament olographe du sieur Thomas Dugadin, décédé, document par lequel le sieur Dugadin vous léguerait la totalité de ses biens s'il venait à être assassiné et si vous découvriez son assassin. Le sieur Dugadin ayant effectivement été assassiné et les Services de Police savoyards me fournissant une attestation certifiant que vous avez élucidé le mystère entourant cet assassinat, vous devenez le légataire du sieur Dugadin et je vous serais reconnaissant de bien vouloir prendre contact avec moi dans les meilleurs délais. Croyez, Monsieur le Commissaire...

Lettre du Commissaire San-Antonio,
Police Judiciaire, Paris
à
Maître Aldebert Taimoudus,
Notaire à Chambéry, Savoie.

Maître,

Après mûres réflexions, j'accepte le legs de Thomas Dugadin. Son domaine deviendra un home d'enfants, grâce à la générosité d'un riche Américain nommé Ron Silvertown qui accepte de commanditer l'opération.

Ce home portera le nom de « Fondation de l'oncle Tom ». Je passerai en votre étude très prochainement et, dans cette attente, vous prie d'agréer...

FIN FINALE

Achevé d'imprimer en décembre 1986
sur les presses de l'Imprimerie Bussière
à Saint-Amand (Cher)

— N° d'impression : 3091. —
Dépôt légal : janvier 1987.
Imprimé en France

PUBLICATION MENSUELLE